CW00646417

Competencia gramatical
en *USO*

A2

Carlos Romero Dueñas
Alfredo González Hermoso
Aurora Cervera Vélez

+34 615 544 382
JCO · marquez ·
alvarez
@ gmail · com

edelsa

GRUPO DIDASCALIA, S.A.
Plaza Ciudad de Salta, 3 - 28043 MADRID - (ESPAÑA)
TEL.: (34) 914.165.511 - (34) 915.106.710
FAX: (34) 914.165.411
e-mail: edelsa@edelsa.es
www.edelsa.es

Competencia gramatical en Uso aborda el aprendizaje de la gramática española partiendo de las consideraciones del *Marco común de referencia* y de los *Niveles de referencia para el español* elaborados por el Instituto Cervantes.

Según el *Marco común de referencia*, "la competencia gramatical es el conocimiento de los recursos gramaticales de una lengua y la capacidad de utilizarlos". De ahí que tanto la forma y el uso de los contenidos gramaticales, como su práctica y apropiación, estén en **Competencia gramatical en Uso** plenamente integrados.

Para ello, la serie **Competencia gramatical en Uso** propone un acercamiento al estudio de la gramática de una forma muy accesible, pausada y rigurosa que permite el uso de los conocimientos gramaticales en las diferentes actividades de la lengua (leer, escuchar, decir). Consta de cuatro volúmenes que corresponden a A1, A2, B1 y B2 de los *Niveles de referencia para el español*.

Los temas de **Competencia gramatical en Uso A2** están constituidos por:
● Presentación de los contenidos mediante un diálogo ilustrado y grabado en el CD audio.
● Ficha de estudio con la forma gramatical y el uso.
● Ejercicios, primero más dirigidos a la forma, y luego al uso, que finalizan con unas actividades en contexto basadas en documentos auténticos.
● Audición de un diálogo en el que se ejemplifican de forma natural los contenidos adquiridos.

Además se incluyen:
● 2 anexos: el primero sobre el contraste de usos del pretérito perfecto y del pretérito indefinido y el segundo sobre el contraste de usos de los pretéritos perfecto e indefinido y del pretérito imperfecto.
● Test de autoevaluación del nivel A2.

Competencia gramatical en Uso se concibe como un material de trabajo activo, en el aula o como refuerzo del aprendizaje autónomo. Las *Claves* permiten la autoevaluación del alumno, quien al final del tema puede marcar el balance de sus aciertos.

Los autores

Índice

COMPETENCIA GRAMATICAL

Componentes:
Los artículos

FORMA	USO
Los artículos definidos e indefinidos.	Para expresar la existencia.

¿Tienes hijos?

Sí, tengo dos, **una** niña y **un** niño. **La** niña tiene ocho años y **el** niño, seis.

FORMA

	El artículo definido		El artículo indefinido	
	Singular	**Plural**	**Singular**	**Plural**
Masculino	el	los	un	unos
Femenino	la	las	una	unas

Contracción del artículo

a + el	**al**	Te presento a el señor López. al
de + el	**del**	Es la secretaria de el director. del

El / un en lugar de **la / una** + sustantivos femeninos en singular que empiezan por **a-** o **ha-** tónicas: *el / un aula, el / un águila, el / un hada...* **Pero:** *La primera aula, una buena hada...*

USO

Contraste entre el artículo definido y el artículo indefinido:

El artículo definido se usa...

1. Cuando hablamos de alguien o algo conocido.
El director del colegio está reunido.

2. Cuando hablamos de alguien o algo único.
El hijo de Sara está en Londres.
(Sara tiene un hijo)

3. Con los verbos *estar* y *gustar*.
¿Dónde está el coche?
Me gusta el teatro.

4. Obligatoriamente después de *todos / todas*.
Tengo todos los libros de Vargas Llosa.

5. Para generalizar, cuando nos referimos a todas las personas, animales u objetos de un grupo.
Los policías siempre encuentran a los ladrones.
El león es el rey de la selva.

6. Con adjetivo, cuando se sabe de qué cosa hablamos.
● *¿Me das la silla?*
■ *¿Cuál? ¿La pequeña?*

El artículo indefinido se usa...

1. Cuando hablamos de alguien o algo por primera vez.
Tengo un amigo en clase de español.

2. Cuando hablamos de alguien o algo como parte de un grupo.
Sara tiene un hijo en Londres.
(Sara tiene varios hijos)

3. Con el verbo *haber*.
Hay un coche rojo en la calle.

4. Con valor aproximativo.
Tengo unos 100 libros.

5. Para generalizar, cuando nos referimos a cualquier persona, animal u objeto como representativo de un grupo.
Un perro es más cariñoso que un gato.

6. Sin sustantivo, cuando se sabe de qué sustantivo estamos hablando.
● *Tengo dos hijos.*
■ *Pues yo solo tengo uno.*

No se usan los artículos:

1. Delante de *señor / señora, doctor / doctora* (+ nombre) + apellido, cuando hablamos directamente con la persona.
Encantado, señor Hernández.
Señora Aguirre, le llaman por teléfono.

2. Con nombres de personas, continentes y países.
Lucía vive en Italia.

3. Con el verbo *ser* y los días de la semana para indicar la fecha.
Hoy es martes, 13 de septiembre.

4. Con los meses del año.
En junio terminan las clases.

5. Con el verbo *saber* + idiomas.
Sabe inglés e italiano.

6. Cuando decimos la profesión, religión, nacionalidad e ideología de una persona.
Carlos es profesor. Ana es española.
Excepción: añadir una cualidad o para identificar:
Carlos es un profesor estupendo.
Carmen es la secretaria de este departamento.

7. Con sustantivos no contables.
¿Queda aceite? ¿Compro pan?
Excepción: con sentido identificador:
● *¿Tiene ya aceite la ensalada?*
■ *No. El aceite está ahí, al lado del pan.*

8. Con sustantivos contables en plural, cuando hablamos de una clase de objetos, no de un objeto en concreto.
Aquí venden ordenadores.
Luis da clases en la universidad.

Ejercicios

1. El género de los sustantivos.
Completa con *el, la, los, las.*

0. ..... *el* ..... agua
1. ...*la s*... águilas
2. ...*la*... aula x *el*
3. ...*la s*... almas
4. ...*los*... aves x *las*
5. ...*la*... abogada ✓
6. ...*el*... hambre ✓
7. ...*la*... alumna ✓
8. ...*el*... arte ✓
9. ...*la*... abuela ✓

Aciertos: .... **de 9**

2. Pon el artículo.
Marca la respuesta correcta.

0. Me gusta .... arte contemporáneo. ☑ el ☐ la
1. Necesitamos .... última aula. ☐ el ☑ la ✓
2. En los cuentos................. hada siempre ayuda a la chica buena. ☑ el ☐ la ✓
3. Busco .... pequeña hacha. ☐ un ☑ una ✓
4. Allí vemos .... bonitas águilas. ☐ unos ☑ unas ✓
5. El pájaro abre .... alas. ☐ los ☑ las ✓

Aciertos: .... **de 5**

3. La contracción del artículo.
Completa con *al* o *del.*

0. Voy ..... *al* ..... cine el fin de semana.
1. El agua ...*del*... mar no se puede beber. ✓
2. Voy ...*al*... colegio. ✓
3. Hola, mamá. Vengo ...*al*... colegio. x *del*
4. Brasil está ...*del*... sur del continente americano x *al*
5. Vive cerca ...*del*... centro de la ciudad. ✓

Aciertos: .... **de 5**

4. Usos del artículo.
Completa con *el, la, los, las.*

0. El restaurante está en .... *la* .... esquina de la calle Fuentes.
1. El tren sale a ...*las*... diez de la mañana. ✓
2. Me lavo ...*los*... dientes cada mañana. ✓
3. Me encantan ...*los*... cuadros de Miró. ✓
4. Me gusta nadar en ...*la*... agua muy fría. x *el*
5. Mi hijo se pasa ...*las*... días sin hacer nada. x *los*

Aciertos: .... **de 5**

Ejercicios

5. ¿Definido o indefinido?

Escoge la respuesta correcta.

0. Está viendo <u>una</u> / **la** película de miedo.

1. Estudia en **la / una** Universidad Complutense de Madrid.

2. María es **la / una** madre de mi novio.

3. Las maletas están en **el / un** coche.

4. Quiere tener **el / un** hijo.

5. Me gustan **las / unas** canciones populares.

6. En la puerta hay **un / el** coche deportivo.

7. Quiero hablar con **el / un** presidente de esta empresa.

8. Isabel Coixet es **la / una** directora de esta película.

Aciertos: .... **de 8**

6. Test de artículos.

Marca la respuesta correcta.

0.	Hoy vamos a visitar .... Museo del Prado.	☑ el	☐ un	☐ Ø
1.	Trabaja en .... clínica Doce de Octubre.	☑ la	☐ una	☐ Ø
2.	Estoy leyendo .... novela muy interesante.	☐ la	☐ una	☐ Ø
3.	Raimundo es .... diplomático. Trabaja en .... Embajada de España en Uruguay.	☐ el / una	☑ Ø / la	☐ Ø / una
4.	Quito es .... capital de Ecuador.	☑ la	☐ una	☐ Ø
5.	¿Aquí venden .... gafas de sol?	☐ las	☐ unas	☐ Ø
6.	Buenos días, ... señora Sánchez.	☐ la	☐ una	☑ Ø
7.	Me gusta .... fútbol.	☐ el	☐ un	☐ Ø
8.	Vamos a comprar .... ordenador portátil.	☐ el	☑ un	☐ Ø
9.	.... marido de Yolanda es extranjero.	☐ El	☐ Un	☐ Ø
10.	Mi padre colecciona .... monedas antiguas.	☐ las	☐ unas	☐ Ø
11.	.... ballenas están en peligro de extinción.	☐ Las	☐ Unas	☐ Ø

Aciertos: .... **de**

7. Preguntas y respuestas.

Completa con los artículos si son necesarios.

0. ○ ¿Quién es ..*el*.. profesor de esta clase?
● Es Pedro. Es ..*un*.. profesor magnífico.

1. ○ ¿Todos .... alumnos son franceses?
● Casi .... todos.

2. ○ ¿Dónde trabaja tu hermano?
● En .... restaurante. Es .... camarero.

3. ○ ¿Conoces a .... señora Alonso?
● Sí, es .... nueva gerente.

4. ○ ¿Todas ...... mañanas sales a correr?
● Sí. Todos .... días corro .... diez kilómetros aproximadamente.

5. ○ ¿En esta librería venden .... libros antiguos?
● Sí. Somos especialistas en .... libros del s. XIX.

Aciertos: .... **d**

8. El niño de las preguntas.
Escoge la forma correcta.

0. ○ ¿Qué es **el / <u>un</u>** móvil?
   ● Es un teléfono de bolsillo.

1. ○ ¿Qué comemos hoy?
   ● No sé. ¿Quieres **la / una** ensalada?

2. ○ ¿Puedo jugar con **el / un** ordenador?
   ● No. Tienes que estudiar.

3. ○ Tengo **las / unas** manos frías. ¿Dónde están **los / unos** guantes?
   ● No lo sé.

4. ○ ¿Compramos un televisor de esa marca?
   ● Mira, **los / unos** televisores son todos iguales.

5. ○ ¿**Los / Unos** médicos ganan mucho dinero?
   ● Todos no.

6. ○ ¿Abro ya **los / unos** ojos?
   ● No, todavía no.

7. ○ ¿Me compras **el / un** helado?
   ● No, hace mucho frío.

Aciertos: .... **de 8**

9. Mensajes de móviles.
Completa las frases con los artículos si son necesarios.

No puedo ir a ..*la*.. reunión. Tengo ......₁ problema. Luego te explico.

Hay ......₂ cambio. ......₃ examen.es en ......₄ aula 12. ¿Dónde estás?

Antes de venir a casa, ¿puedes comprar ......₅ periódico y ......₆ par de revistas?

Ya estamos en ......₇ cine Rex, en ......₈ calle Alcalá, pero no quedan ......₉ entradas. ¿Qué hacemos?

No puedo ir a ......₁₀ ópera, no tengo ......₁₁ dinero. Os espero a ......₁₂ salida.

Aciertos: .... **de 12**

TODO OÍDOS. Escucha el diálogo.

■ ¿Vives con tus padres?
● No. Vivo con **unos** amigos en **un** piso. **El** piso está muy cerca de aquí.
■ Yo también vivo en **un** piso de estudiantes. Somos cinco. **Un** alemán, **una** polaca, dos italianas y yo. **El** alemán ya trabaja. **Los** demás todavía estudiamos.

Total de aciertos: .... **de 75**

EVALÚATE

| Muy bien | Bien | Regular | Mal |

Los sustantivos y los adjetivos

FORMA	USO
El género de los sustantivos y de los adjetivos. Casos especiales del número.	Para clasificar y describir personas, animales y objetos.

Este **libro** es muy **interesante**.

¿Ah, sí?

Sí, es un **libro** de **relatos policíacos**.

A mí me gustan más las **novelas románticas**.

FORMA

Regla general de los sustantivos:

Son masculinos los sustantivos terminados en -*o* y son femeninos los terminados en -*a*.
*El herman**o** - La herman**a*** *El perr**o** - La perr**a***
Excepto: *la mano, la radio, la moto, la foto, el día, el mapa.*

El plural de los sustantivos se forma añadiendo -*s*.
*El hermano - Los hermano**s*** *La silla - Las silla**s***

Regla general de los adjetivos:

Los adjetivos concuerdan en género y número con el sustantivo con el que van. Terminan en -*o* con sustantivos masculinos y en -*a* con femeninos. Forman el plural con -*s*.

USO

El género de los sustantivos:

Son masculinos los sustantivos terminados en:

1. -*í* y en -*ú*.
el jabalí *el bambú*

2. -*ema*.
el tema, el problema
Excepto: *la crema*

3. -*or*.
el director, el ascensor, el dolor
Excepto: *la flor.*

Son femeninos los sustantivos terminados en:

1. -*triz*.
la actriz, la cicatriz

2. -*dad* y -*tad*.
la ciudad, la libertad

3. -*umbre* y -*ez*.
la actitud, la costumbre, la vejez

4. -*ción, -sión* y -*zón*.
la información, la televisión, la razón
Excepto: *el corazón y el buzón*

Observaciones:

Hay algunos sustantivos de personas y animales que tienen diferente terminación para masculino o femenino:
el príncipe - la princesa *el actor - la actriz*
el gallo - la gallina

Los sustantivos terminados en -*ista* son masculinos o femeninos dependiendo del sexo de la persona.
el periodista - la periodista
el pianista - la pianista

El género de los adjetivos:

1. Terminados en -*o* forman el femenino en -*a*.
guapo - guapa *limpio - limpia*

2. Terminados en -*or* añaden una -*a*.
trabajador - trabajadora *encantador - encantadora*

3. Terminados en otra vocal o en otra consonante no cambian.
belga, importante, marroquí, hindú, útil
Excepto: los adjetivos de nacionalidad acabados en -*l*, -*n* o en -*s* añaden una -*a*.
español - española *francés - francesa*

El número de los adjetivos:

1. Los adjetivos que terminan en vocal forman el plural en -*s*. *interesante - interesantes simpático - simpáticos*
Excepto: los adjetivos de nacionalidad acabados en -*í* o -*ú* forman el plural en -*es*.
marroquí - marroquíes *hindú - hindúes*

2. Los adjetivos que terminan en consonante forman el plural en -*es*.
encantador - encantadores *especial - especiales*

3. Los adjetivos que terminan en -*z* forman el plural en -*ces*. *feliz - felices*

Observaciones:

Si el adjetivo se refiere a varios nombres y uno es masculino, el plural se hace normalmente en masculino.
El ordenador y la impresora son nuevos.

El número de los sustantivos:

1. Los sustantivos de más de una sílaba terminados en -*s* no cambian en plural. *el viernes - los viernes* *el paraguas - los paraguas*
Excepto: *el autobús - los autobuses*

2. Algunos sustantivos no tienen plural.
el norte, el sur, la sed, el hambre, la salud

3. Hay sustantivos que siempre van en plural.
las gafas, las tijeras, los prismáticos

Ejercicios

1. ¿Masculinas o femeninas?
Clasifica las palabras siguientes.

Masculino	Femenino
café	

café   buzón   propina   color
espalda   día   lunes   flor
problema   sistema   iglú   verdad
salud   mapa   vejez   razón
bicicleta   calor   mano   foto

Aciertos: ....   **de 19**

2. El plural.
Escribe el plural de los siguientes sustantivos.

0. el mes   *los meses*
1. el martes   ....
2. la razón   ....
3. la sal   ....
4. el paraguas   ....
5. el autobús   ....
6. el ascensor   ....
7. la libertad   ....
8. el iglú   ....
9. la actriz   ....
10. la flor   ....

Aciertos: ....   **de 10**

3. Mis compañeros de clase.
Completa los adjetivos.

0. Víctor es simpátic..o.. y extrovertid..o.. .
1. Victoria es tímid..... e individualist..... .
2. Rafael es estudios..... y responsabl..... .
3. Rafaela es inteligent..... y trabajador..... .
4. Pepe es mentiros.... y egoíst..... .
5. Pepa es cariños..... y sensibl..... .

Aciertos: ....   **de 10**

Ejercicios

4. Un sustantivo y un adjetivo.

Completa las frases con un sustantivo y un adjetivo de los recuadros. Pon el adjetivo en el género y número correctos.

0. El euro es una ....*moneda europea*....

1. Mi mujer tiene los ....

2. Las .... de este hotel son muy ....

3. Los tacos son un ....

4. La señora Smith es una .... muy ....

5. Cuzco y Lima son dos ....

6. Antonio Banderas y Penélope Cruz son ....

actores	azul
camas	español
ciudades	europeo
moneda	mexicano
mujer	incómodo
ojos	peruano
plato	trabajador

Aciertos: .... **de 6**

5. Los regalos de Navidad.

Añade el artículo indefinido y completa los adjetivos.

0. Para mi mujer, ...*un*.... pañuelo roj..*o*. de seda y ....*unos*.... zapatos negr..*os*. .

1. Para mi hermano, ... disco de música clásic........ y .... corbata modern........ .

2. Para mi hermana, ... perfume fresc........ y .... novela interesant........ .

3. Para mis padres, ... televisión pequeñ........ .

4. Para Jaimito, ... juguete didáctic........ .

5. Para Juanito, ... bicicleta grand........ y liger........ .

6. Para la abuela, ... chaqueta gris........ .

7. Para el abuelo, ... jersey naranj........ .

Aciertos: .... **de 1**

6. En un restaurante.

Marca las respuestas correctas.

0. **El / La** decoración es **moderna / moderno**, pero muy **lujoso / lujosa**.

1. Tienen **un / una** salón **pequeño / pequeña** y muy **íntimo / íntima**.

2. La paella y el gazpacho están **deliciosos / deliciosas**. Tienes que probarlos.

3. **Los / Las** postres son **caros / caras**, pero **exquisitos / exquisitas**.

4. El dueño y la cocinera son **chilenos / chilenas**.

5. Los camareros y las camareras son muy **simpáticos / simpáticas**.

6. La sopa de pescado y la ensalada de arroz están **buenísimos / buenísimas**.

Aciertos: .... **de**

7. Un poquito de humor. "Frases imperdibles" de Les Luthiers.
Añade los artículos y completa los sustantivos y los adjetivos.

0. Todo tiemp..o. pasad..o. fue anterior..o. .

1. .... honest....., desgraciadamente, son inadaptad..... social..... .

2. Tener .... concienci..... limpi..... es síntoma de mal..... memori..... .

3. Hay .... mund..... mejor, pero es carísim..... .

4. .... verdad absolut..... no existe y esto es absolutamente ciert..... .

Aciertos: .... **de 15**

8. Se venden pisos.
Completa los adjetivos.

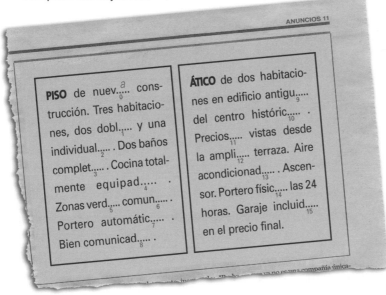

PISO de nuev..a..$_0$ construcción. Tres habitaciones, dos dobl..$_1$ y una individual..$_2$. Dos baños complet..$_3$. Cocina totalmente equipad..$_4$. Zonas verd..$_5$ comun..$_6$. Portero automátic..$_7$. Bien comunicad..$_8$.

ÁTICO de dos habitaciones en edificio antigu..$_9$ del centro históric..$_{10}$. Precios..$_{11}$ vistas desde la ampli..$_{12}$ terraza. Aire acondicionad..$_{13}$. Ascensor. Portero físic..$_{14}$ las 24 horas. Garaje incluid..$_{15}$ en el precio final.

Aciertos: .... **de 15**

TODO OÍDOS. Escucha el diálogo.

■ A ti te gusta Ricardo, ¿verdad?
● Sí, mucho. Es **alto** y muy **guapo**. ¿A ti no?
■ Claro. Además es muy **simpático**, **inteligente** y **encantador**.
● ¡Hija! Sí que te gusta, sí.
■ Bueno, pero sobre todo me encanta su **nueva moto japonesa**.

Total de aciertos: .... **de 104**

EVALÚATE

Muy bien   Bien   Regular   Mal

Componentes:

Presente de indicativo irregular I

3

FORMA	USO
Conjugación del presente de indicativo: **e>ie**, **o>ue**, **e>i**.	Para dar informaciones generales y actuales, para hablar de acciones habituales y para hablar del futuro.

El próximo lunes **pienso** ir con mis alumnos al Museo de América.

¿El lunes? Los lunes **cierran** los museos.

Bueno, pues voy el martes.

FORMA

Sujeto	E > IE			O > UE			E > I	U > UE
	pensar	**querer**	**sentir**	**contar**	**poder**	**dormir**	**pedir**	**jugar**
yo	pienso	quiero	siento	cuento	puedo	duermo	pido	juego
tú	piensas	quieres	sientes	cuentas	puedes	duermes	pides	juegas
él, ella, usted	piensa	quiere	siente	cuenta	puede	duerme	pide	juega
nosotros, nosotras	pensamos	queremos	sentimos	contamos	podemos	dormimos	pedimos	jugamos
vosotros, vosotras	pensáis	queréis	sentís	contáis	podéis	dormís	pedís	jugáis
ellos, ellas, ustedes	piensan	quieren	sienten	cuentan	pueden	duermen	piden	juegan

Se conjugan así:
- **-ar:** calentar, cerrar, manifestar, merendar, pensar, recomendar, sentar, etc.
- **-er:** defender, encender, entender, perder, querer, etc.
- **-ir:** divertir, mentir, preferir, sentir, sugerir, etc.

Se conjugan así:
- **-ar:** acordar, acostarse, aprobar, comprobar, costar, demostrar, encontrar, mostrar, probar, recordar, soñar, volar, etc.
- **-er:** doler, envolver, llover, morder, mover, soler, volver, etc.
- **-ir:** morir.

Particularidad del verbo *oler*:
huelo, hueles, huele, olemos, oléis, huelen.

Se conjugan como *pedir*:
conseguir, despedir, elegir, freír, reír, repetir, seguir, servir, vestir.

USO

Usamos el presente para:

1. Pedir o dar información general actual.
Hoy empiezan las vacaciones.
Me duele mucho la cabeza.

2. Expresar acciones habituales o frecuentes.
Normalmente me acuesto a las doce de la noche.
Jugamos al fútbol todos los jueves.

3. Expresar acciones futuras.
Mañana juego al tenis con una amiga.
La próxima semana cierran el museo.

4. Dar instrucciones y órdenes.
Ya es hora de dormir. Te acuestas y te duermes ya.

5. Expresar verdades universales.
Pienso, luego existo.

Ejercicios

1. Verbos e >ie.
Completa el cuadro.

	cerrar	calentar	perder	entender	mentir	divertirse
yo						
tú			*pierdes*			
él, ella, usted						
nosotros, nosotras	*cerramos*					
vosotros, vosotras						
ellos, ellas, ustedes					*mienten*	

Aciertos: .... **de 33**

2. ¿E o IE?
Completa.

0. Qu...*ie*...ro llegar pronto a casa.
1. ¿P.......nsas venir este verano?
2. ¿Compr.......ndes el problema?
3. ¿Ent.......ndes la pregunta?
4. C.......rro la puerta al salir.
5. ¿Emp.......zamos a hablar del tema?

6. M.......nte muchas veces.
7. P.......rdes tiempo con esos juegos.
8. Te recom.......ndo esta película.
9. Pref.......ren ir en coche.
10. Se div.......rte con sus compañeros.

Aciertos: .... **de 10**

3. Yo entiendo, tu entiendes...
Pon el verbo en la persona adecuada del presente de indicativo.

0. (Defender - tú) ....*Defiendes*........ la verdad.
1. (Entender - nosotros) .... el problema de matemáticas.
2. (Despertarse - yo) .... a las siete de la mañana.
3. (Preferir - ella) .... salir los jueves por la noche.
4. El sol (calentar) .... esta tarde.
5. ¿(Cerrar - nosotros) .... la puerta?

Aciertos: .... **de 5**

4. Verbos o > ue.
Completa el cuadro.

	probar	encontrar	volver	mover	morir
yo					
tú			*vuelves*		
él, ella, usted					
nosotros, nosotras	*probamos*				
vosotros, vosotras					
ellos, ellas, ustedes					*mueren*

Aciertos: .... **de 27**

5. ¿O o UE?
Completa.

0. ¿Rec..*ue*..rdas a Juan?
1. Me enc......ntro en plena forma.
2. Res.......lvo el problema.
3. M.......vemos los brazos.
4. S......ñamos con las vacaciones.
5. Siempre me ac.......sto muy tarde.

6. C.......sta mucho dinero.
7. V.......lvemos enseguida.
8. D.......rmís demasiado.
9. En primavera ll.......ve mucho.
10. Este perfume h.......le muy bien.

Aciertos: .... **de 10**

6. La forma YO.
Pon los verbos en primera persona del singular.

0. ¿Probamos esta nueva bebida? ....*¿Pruebo esta nueva bebida?*..........
1. Encontramos la solución a la crisis. ....
2. Solemos pasear por el parque. ....
3. Volvemos a casa. ....
4. Movemos los paquetes. ....
5. Nos acostamos muy pronto. ....

Aciertos: .... **de 5**

7. El sustantivo y el verbo.
A partir del sustantivo busca el infinitivo del verbo correspondiente.

0. Un encuentro con los amigos. ....*encontrar*........
1. Los sueños de la gente. ....
2. La vuelta al colegio. ....

3. El vuelo del avión. ....
4. Un cuento para los niños. ....
5. Una prueba. ....

Aciertos: .... **de 5**

8. Verbos e > i.
Observa y completa el cuadro.

	repetir	impedir	sonreír
yo			
tú		impides	
él, ella, usted			
nosotros, nosotras	repetimos		
vosotros, vosotras			
ellos, ellas, ustedes			sonríen

Aciertos: .... **de 1**

9. ¿E o I?
Completa.

0. P...*e*..dimos un café.
1. Me desp.......do de ellos.
2. Se v.......ste con ropa de verano.
3. Corr.......gimos los exámenes.
4. Nos r.......ímos mucho con ellos.

5. El.......gimos los regalos.
6. Rep......timos el ejercicio.
7. Me sonr.......e cuando lo veo.
8. S.......rven la comida y la bebida.
9. S.......guimos con las mismas ideas.

Aciertos: .... **de 9**

10. Preguntas personales.
Contesta a las preguntas según el modelo.

0. ● ¿Cuánto mides? ○ ...*Mido*...... 1 metro 75.

1. ● ¿Qué nivel de español sigues? ○ .... el segundo nivel.

2. ● ¿Cuándo te despides de nosotros? ○ Me .... mañana.

3. ● ¿Repites curso este año? ○ Sí, otra vez .... curso.

4. ● ¿A quién sonríe esa persona? ○ Me .... a mí.

5. ● ¿Por qué te ríes? ○ Me .... porque es divertido.

Aciertos: .... **de 5**

11. El verbo *jugar*.
Completa.

0. Los fines de semana j..*ue*..go al tenis.

1. Los españoles j.......gan mucho a la lotería.

2. J.......gamos al fútbol con el equipo del barrio.

3. ¿A qué hora j.......gáis vosotros esta tarde?

4. Pepe j.......ga siempre con el mismo equipo de balonmano.

5. ¿Por qué no te vienes con nosotros y j.......gas a las cartas?

6. Andrés y Marta j.......gan mucho al tenis.

Aciertos: .... **de 6**

12. Algunos usos del presente.
Lee las frases y clasifícalas.

0. Dos y dos son cuatro.

1. Si te duele la cabeza, te tomas una aspirina y ya está.

2. Bajas, por favor, a la panadería y compras el pan.

3. La Tierra es un planeta.

4. Normalmente duermo siete horas.

5. Este verano no tengo vacaciones.

6. Juego al tenis todos los sábados.

7. Mañana empiezan las clases.

8. ¿Estás aburrido? Entonces enciendes la tele o lees un libro.

Acciones habituales o frecuentes	Acciones futuras	Instrucciones y órdenes	Verdades universales
			Dos y dos son cuatro.

Aciertos: .... **de 8**

TODO OÍDOS. Escucha el diálogo.

6

- ¿Cuántas horas **duermes** al día?
- **Duermo** unas ocho horas.
- Yo no **puedo** dormir tantas horas.
- ¿Por qué?
- Normalmente tengo poco sueño y me **despierto** muy temprano.
- ¿Y entonces qué haces?
- Me levanto y **juego** con el ordenador.

Total de aciertos: .... **de 138**

EVALÚATE

Muy bien　　Bien　　Regular　　Mal

Componentes:
Presente de indicativo irregular II

4

FORMA	USO
Conjugación del presente de indicativo de los verbos en **-go** y verbos de irregularidad propia.	Verbos *hacer, tener, ir.*

7

¿Dónde **vas**?

¿**Vienes** con nosotros al cine después del examen?

Voy a clase. **Tengo** un examen.

No lo **sé**. Te lo **digo** luego.

FORMA

Regla general: Son verbos de uso frecuente, que tienen la primera persona irregular; las demás formas son regulares, excepto los verbos *tener, venir, decir* y *oír*, que solo son regulares en las formas *nosotros* y *vosotros,* y el verbo *ir,* que es irregular en todas las personas.

Verbos en -go

Sujeto	hacer	poner	salir	valer	traer	tener	venir
yo	ha**go**	pon**go**	sal**go**	val**go**	trai**go**	ten**go**	ven**go**
tú	haces	pones	sales	vales	traes	**tie**nes	**vie**nes
él, ella, usted	hace	pone	sale	vale	trae	**tie**ne	**vie**ne
nosotros, nosotras	hacemos	ponemos	salimos	valemos	traemos	tenemos	venimos
vosotros, vosotras	hacéis	ponéis	salís	valéis	traéis	tenéis	venís
ellos, ellas, ustedes	hacen	ponen	salen	valen	traen	**tie**nen	**vie**nen

Verbos con irregularidad propia

Sujeto	ir	dar	saber	ver	oír	decir
yo	**voy**	**doy**	**sé**	**veo**	**oigo**	**digo**
tú	**vas**	das	sabes	ves	**oyes**	**di**ces
él, ella, usted	**va**	da	sabe	ve	**oye**	**di**ce
nosotros, nosotras	**vamos**	damos	sabemos	vemos	oímos	**decimos**
vosotros, vosotras	**vais**	dais	sabéis	veis	oís	**decís**
ellos, ellas, ustedes	**van**	dan	saben	ven	**oyen**	**di**cen

USO

Usamos el verbo *hacer* para:

1. Indicar acción. *Los fines de semana **hago** muchas cosas: practico deporte, voy al cine, cocino...*

2. Expresar el tiempo meteorológico con *Hace* + *frío, calor, viento, sol, buen / mal tiempo, etc.* *Hoy **hace** mucho frío.*

Usamos el verbo *tener* para:

1. Indicar posesión. ***Tengo** una casa en la playa.*

2. Expresar sensaciones. ***Tengo** frío, hambre, sueño...*

3. Pedir algo. *¿**Tienes** un bolígrafo, por favor?*

3. Preguntar y decir la edad.
- ¿Cuántos años **tienes**?
- ***Tengo** quince años.*

4. Describir personas.
***Tiene** los ojos negros, el pelo corto y rizado...*

Usamos el verbo *ir* para:

1. Indicar movimiento. ***Voy** a casa.*

2. Expresar una acción futura con *ir a* + infinitivo. *Esta tarde **voy** a ver este DVD.*

Ejercicios

1. Verbos -go.
Completa con el verbo.

0. ¿..*Pongo*.. la leche en la nevera (Poner - yo)?

1. Este televisor ..*Vale*.. mucho (valer), 2.000 euros.

2. *Salgo* de casa cada día a las ocho (Salir - yo).

3. ¿*Traen* la compra del supermercado (Traer - vosotros)? ✗ *Traéis*

4. El fin de semana no *hacen* nada (hacer - ellas), se quedan en casa.

5. *Supongo* que tienes razón (Suponer - yo).

6. Los alumnos *hacen* las cosas bien (hacer).

7. *Traemos* el trabajo de clase a casa (Traer - nosotros).

Aciertos: .... de 7

2. Caer, hacer, poner, salir, traer y tener.
Escoge un verbo y completa la frase.

0. ....*Salgo*.... cada tarde para tomar café (yo).

1. En el cine siempre me .... en la última fila (yo). *Pongo*

2. .... los deberes muy bien (tú). *Haces*

3. .... un ordenador muy bueno (yo). *Tengo*

4. Casi se .... al suelo (ella). *cae*

5. *Tengo*. regalos para todos (yo). ✗ *Traigo*

Aciertos: .... de 5

3. Ponemos, pongo.
Pon en singular.

0. Ponemos la tele. — *Pongo la tele.*

1. Nos distraemos en la fiesta. — *(me) Distraigo en la fiesta* ✓

2. Hacemos muchas cosas el fin de semana. — *Hago muchas* ✓

3. Salimos de paseo. — *Salgo de paseo* ✓

4. Traemos la comida de casa. — *Traigo la comida de casa* ✓

5. Ponemos la mesa para comer. — *Pongo la mesa para comer*

6. Suponemos que está con María. — *Supongo que ...*

Aciertos: .... de 6

4. El tiempo en Europa.
Observa los dibujos y di son verdaderas (V) o falsas (F) estas afirmaciones. Si son falsas, escribe la información correcta.

Madrid 24°

Londres 18°

Moscú 8°

0. En Londres hace más calor que en Madrid.	V	<u>F</u>	*En Londres hace más frío que en Madrid*
1. En Madrid hace viento.	V	F	....
2. En Moscú hace más frío que en Londres.	V	F	....
3. En Londres hace menos frío que en Madrid.	V	F	....
4. En Madrid hace mal tiempo porque llueve.	V	F	....
5. En Moscú hace sol.	V	F	....

Aciertos: .... **de 5**

5. El tiempo en España.
Lee el texto y completa las frases.

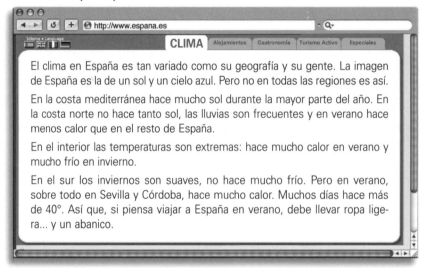

El clima en España es tan variado como su geografía y su gente. La imagen de España es la de un sol y un cielo azul. Pero no en todas las regiones es así.

En la costa mediterránea hace mucho sol durante la mayor parte del año. En la costa norte no hace tanto sol, las lluvias son frecuentes y en verano hace menos calor que en el resto de España.

En el interior las temperaturas son extremas: hace mucho calor en verano y mucho frío en invierno.

En el sur los inviernos son suaves, no hace mucho frío. Pero en verano, sobre todo en Sevilla y Córdoba, hace mucho calor. Muchos días hace más de 40°. Así que, si piensa viajar a España en verano, debe llevar ropa ligera... y un abanico.

0. El clima de España es muy...
1. Casi todo el año, en la costa mediterránea...
2. En la costa norte...
3. Hace menos calor que en el resto de España...
4. En el interior...
5. En el sur...

a. hace mucho frío en invierno.
b. en la costa norte.
c. no hace mucho frío en invierno.
d. variado.
e. hace mucho sol.
f. llueve mucho.

Aciertos: .... **de !**

6. Verbos con irregularidad propia.
Completa la respuesta.

0. ● ¿Das clase de lengua hoy? ○ Sí, ...*doy*...... clase todos los días.
1. ● ¿Adónde vas de vacaciones en verano? ○ Casi siempre .... a la montaña.
2. ● ¿Sabes nadar? ○ Sí, pero no .... nadar muy bien.
3. ● ¿Cómo vas a clase? ○ Normalmente .... en autobús.
4. ● ¿Vas con frecuencia al cine? ○ Sí, ... una vez a la semana.

5. ● ¿Ves muchas series en la tele?   ○ No, ... muy pocas.

6. ● ¿Sabes muchos idiomas?   ○ Solo .... dos idiomas.

7. ● ¿Qué película dan en el cine?   ○ .... una película de aventuras.

8. ● ¿Vais con los amigos al cine?   ○ Sí, ... los fines de semana.

9. ● ¿Vas a la ópera alguna vez?   ○ No, ... muy poco.

Aciertos: .... **de 9**

7. El verbo en la forma adecuada.
Completa la frase con uno de estos verbos.

0. Cuando no trabajo, ...*voy*........ a pasear al parque municipal.

1. Cuando tengo tiempo, por la noche, ... la tele.

2. Mañana (yo) .... de excursión con mis padres.

3. No .... bien inglés, por eso lo estudio cada día.

4. En secretaría .... los papeles para la matrícula.

5. Es su cumpleaños y .... una fiesta en su casa.

6. Siempre (yo) .... las cosas por el lado optimista.

7. Mis amigos .... muchas tonterías.

8. Habla más alto, que yo no .... bien.

9. Elsa y yo .... aquí muchas veces para tomar café.

10. ¿.................... hoy vosotras a cenar a mi casa?

11. ¿No .... el teléfono (vosotras)?

12. Habla mucho, pero siempre .... lo mismo.

13. Pilar no .... que está enfermo el abuelo. ¿Se lo decimos?

ir
dar
saber
ver
oír
venir
decir

Aciertos: .... **de 13**

8. Nosotros y yo.
Pon los verbos en la primera persona de singular.

0. Hacemos lo que es necesario.   *Hago lo que es necesario.*

1. Venimos para ver lo que deseas.   ....

2. Decimos siempre la verdad.   ....

3. Traemos muchas cosas.   ....

4. Venimos a hablar de cine.   ....

5. Tenemos un mensaje en el contestador. ....

6. Oímos la radio por la mañana.   ....

7. Hacemos ejercicios de gramática.   ....

8. ¿Ponemos las cosas aquí?   ....

9. Salimos a cenar esta noche.   ....

10. Oímos muchas cosas desagradables.   ....

Aciertos: .... **de 10**

9. El verbo *tener*.

Relaciona.

0. ¿Tienes fuego?		**a.** No, son negros.
1. ¿Vas en verano a la playa?		**b.** Sí, mucha.
2. ¿Cuántos años tienes?		**c.** No, no fumo.
3. ¿Tienes hambre?		**d.** No, estoy muy ocupado, lo siento.
4. La profesora tiene los ojos verdes.		**e.** Treinta y tres, ¿y tú?
5. Tengo mucho frío.		**f.** ¿Por qué no te pones el abrigo?
6. ¿Tiene usted un momento?		**g.** No, tengo una casa en la montaña.
7. Tu hijo es muy pequeño, ¿verdad?		**h.** Tiene barba y bigote.
8. ¿Cómo es tu novio?		**i.** Sí, solo tiene dos años.

Aciertos: .... **de 8**

10. Estas dos personas no se conocen, pero hablan en un chat.

Completa los diálogos con el verbo *tener* y después clasifica las frases en el cuadro.

Elena: Hola. ¿Cómo te llamas?

Jaime: Jaime. ¿Y tú?

Elena: Elena. ¿Cuántos años ....*tienes*....[0]?

Jaime: 22.

Elena: Yo ....[1] 20. ¿Y cómo eres?

Jaime: Soy rubio y ....[2] los ojos azules. Te mando una foto, ¿vale?

Elena: Vale.

Jaime: ¿..............[3] tú una para enviarme?

Elena: No, pero... ¿y si ponemos la cámara?

Jaime: Estoy en la universidad y aquí no (ellos) ....[4] cámara web.

Elena: Vaya. ¿Nos conectamos esta noche, entonces?

Jaime: No, hoy ....[5] sueño, estoy muy cansado. Mañana hablamos.

Elena: Vale, hasta mañana.

Indicar posesión	Expresar sensaciones	Pedir algo

Preguntar y decir la edad	Describir personas
¿Cuántos años tienes?	

Aciertos: .... **de**

11. ¿Quieres conocerlos?

Completa con los verbos *ser* o *tener*.

0. (Yo) ....*Soy*.... peruano y ....*tengo*.... muchos amigos españoles.

1. Mónica .... profesora de aeróbic y .... un gimnasio.

2. Teresa .... abogada y .... poco tiempo para sus hijos.

3. Matías y Tomás .... veinte años y .... estudiantes.

4. Tú y él .... jóvenes y .... mucho tiempo libre.

5. El señor López .... el presidente y .... mucho dinero.

Aciertos: .... **de 10**

12. Así son mis compañeros de clase.

Ordena los datos y describe a estas personas con los verbos *ser, tener, llevar*.

0. **Alejandro Arroyo:** ojos verdes, moreno, corbata roja, bajo, chaqueta azul.
Alejandro Arroyo es moreno y bajo, tiene los ojos verdes y lleva una chaqueta azul y
una corbata roja.

1. **Adriana Becerra:** pelo negro, vestido blanco, ojos azules, alta, zapatos negros.

....

....

2. **Alonso Cortés:** gordo, abrigo marrón, rubio, ojos negros, paraguas azul.

....

....

3. **Danny Sunier:** morena, delgada, falda amarilla, ojos verdes, jersey verde.

....

....

Aciertos: .... **de 3**

TODO OÍDOS. Escucha el diálogo.

■ ¿Conoces ya a la nueva jefa?
● No, todavía no.
■ Yo sí.
● ¿Sí? ¿Cómo es?
■ Parece muy competente. **Sabe** cuatro idiomas. **Tiene** 35 años. Está casada y **tiene** ya dos hijas. Es morena, bastante alta. **Tiene** el pelo corto y rizado y unos ojos negros enormes. Ah... y parece que **tiene** mucha paciencia. ¿Sabes? Seguro que a ti también te gusta.
● Eso espero.

Total de aciertos: .... **de 86**

EVALÚATE

| Muy bien | Bien | Regular | Mal |

COMPETENCIA GRAMATICAL

Componentes:
Ser y estar

5

FORMA	USO
Conjugación de los verbos *ser* y *estar*.	Para identificar, describir, definir y situar en el tiempo y en el espacio.

Oye, ¿quién **es** el chico moreno que **está** al lado de Laura? **Es** muy guapo.

Es Diego, el compañero de piso de Santi. **Es** muy simpático.

FORMA

Sujeto	ser	estar
yo	soy	estoy
tú	eres	estás
él, ella, usted	es	está
nosotros, nosotras	somos	estamos
vosotros, vosotras	sois	estáis
ellos, ellas, ustedes	son	están

Regla general:

Los sustantivos, adjetivos y pronombres que van detrás de *ser* y *estar* concuerdan en género y número con el sujeto.
Pedro es profesor. - María es profesora.
Pedro es este. - María es esa.
(Ellos) están contentos. - (Ellas) están contentas.

USO

Se utiliza el verbo *ser* para:

1. Identificar.
- ● *¿Quién es usted?* ■ **Soy** *Elena Sánchez.*
- ● *¿Y él quién es?* ■ **Es** *mi marido.*
- ● *¿Qué es eso?* ■ **Es** *una mesa de oficina.*

2. Indicar el origen o la nacionalidad.
- ● *¿De dónde eres?*
- ■ **Soy** *argentino, de Córdoba.*

3. Expresar la profesión.
- ● *¿Eres actor?* ■ *Sí,* **soy** *actor y cantante.*

4. Situar en el tiempo: el día y la hora.
Hoy es sábado. **Son** *las dos de la tarde.*

5. Expresar posesión.
- ● *¿De quién es este coche?* ■ **Es** *de mi padre.*

6. Indicar cantidades y precios.
- ● *¿Cuánto es?* ■ **Son** *veinte euros.*

7. Expresar la causa con *por* y la finalidad con *para.*
Estudia español. **Es por** *su trabajo.*
Este ordenador **es para** *trabajar, no para jugar.*

Se utiliza el verbo *estar* para:

1. Situar en el espacio.
- ● *¿Dónde está la farmacia?*
- ■ *Al final de esta calle.*

2. Situar en el tiempo con *Estar a* + días y con *en* + meses, periodos de tiempo y estaciones.
Estamos a diez de abril. Estamos a sábado.
Estamos en abril. Estamos en Navidad.
Estamos en primavera.

3. Expresar la temperatura con *Estar a* + grados.
Estamos a dos grados bajo cero.

4. Expresar estados con *bien* o *mal.*
- ● *¿Qué tal* **está** *este ejercicio?* ■ *No* **está** *bien.*

Ser + adjetivo

Describe cualidades físicas de personas y objetos.
Susana **es** *alta y delgada.*
Mi coche **es** *rojo.*

Describe el carácter de una persona o un animal.
Laura **es** *muy lista.*
Mi gato **es** *tranquilo.*

Estar + adjetivo

Describe los estados físicos de personas y objetos.
¿Qué tal **está** *Juana? /* **Está** *enferma.*
El restaurante **está** *cerrado.*

Describe sentimientos y estados de ánimo.
Está *muy contento.*
Estoy *de mal humor.*

Ejercicios

1. ¿*Es* o *está*?
Subraya el verbo correcto.

   0. El cine **es** / <u>está</u> cerca de aquí.

   1. ¿**Sois** / **Estáis** de aquí? No, **somos** / **estamos** de Valladolid.

   2. Vivimos en Marruecos, pero **somos** / **estamos** españoles.

   3. Mi padre **es** / **está** profesor en un instituto.

   4. Esta máquina **es** / **está** para hacer fotocopias y enviar faxes.

   5. ¡Cómo pasa el tiempo! Ya **somos** / **estamos** en Semana Santa otra vez.

   6. Este libro **es** / **está** de Jorge Luis Borges.

   7. Mira, el chico que **es** / **está** allí **es** / **está** mi hermano.

   8. Tú **eres** / **estás** de Sevilla, ¿verdad? Se nota por tu acento.

   9. Creo que mi madre **es** / **está** de mal humor.

  10. Este año no sale de vacaciones. **Es** / **Está** por sus padres, están enfermos.

Aciertos: .... **de 12**

2. Test de *ser* y *estar*.
Marca la opción correcta.

   0. El ascensor .... en el sexto piso.   ☐ es   ☑ está

   1. Esta camisa .... muy bonita.   ☐ es   ☐ está

   2. Mi cumpleaños .... en enero.   ☐ es   ☐ está

   3. ¿Te pasa algo? .... pálido.   ☐ Eres   ☐ Estás

   4. ¿Dónde .... el Hotel Picasso, por favor?   ☐ es   ☐ está

   5. ■ ¿Cuánto ...., por favor?   ● 10 euros.   ☐ es   ☐ está

   6. ■ ¿Qué .... esto?   ● Mi nuevo móvil.   ☐ es   ☐ está

Aciertos: .... **de 6**

3. Hablamos del tiempo.
Completa las frases.

   0. ■ ¿Qué hora ......*es*...... ahora?

       ● Las ocho media.

   1. ■ ¿A qué .... hoy ?

       ● A veinticuatro de octubre.

   2. ■ ¿Qué día .... hoy?

       ● Jueves.

   3. ■ ¿A qué hora .... la clase?

       ● A las nueve.

   4. ■ ¿A qué temperatura ....?

       ● A un grado bajo cero.

   5. ■ ¿En qué estación ....?

       ● En primavera.

   6. ■ ¿En qué mes ....?

       ● En agosto.

   7. ■ ¿Cuándo .... tu cumpleaños?

       ● En septiembre.

Aciertos: .... **de 7**

4. Preguntas y respuestas.

Completa con *ser* o *estar* y relaciona.

0. ¿Quién ...*es*.... aquel chico del abrigo negro?

1. ¿(Tú) .... contento?

2. ¿.......... buena la última película de Antonio Banderas?

3. ¿.......... bien mi examen?

4. ¿ Cómo .... tu hermana?

5. ¿(Tú) .... de Madrid?

6. ¿.......... muy tímida Sara?

7. ¿Tu novia .... enfermera?

8. ¿De quién .... este diccionario?

9. ¿Qué día .... hoy?

a. Rubia y alta, como mi madre.

b. Sí, trabaja en una clínica privada.

c. De la profesora.

d. Sí, pero vivo en Segovia.

e. El novio de María.

f. Miércoles.

g. No. ¡Qué va! ¡Malísima!

h. Sí, muy bien. Perfecto.

i. Sí. Odia hablar en público.

j. Sí, muy contento.

Aciertos: .... **de 9**

5. Para describir a alguien.

Clasifica estas palabras.

alto   tímido

rubio   preocupado

cansado   bajo

moreno   guapo

contento   ordenado

optimista   asustado   deprimido

Estar + adjetivo	Ser + adjetivo
	alto

Aciertos: .... **de**

6. Hablando de los amigos.

Completa las frases con *es* o *está*.

0. No sé lo que le pasa a Silvia, ...*está*.... cansada.

1. Elvira .... muy tímida y no le gusta hablar en público.

2. Javier .... un chico puntual y llega siempre a la hora.

3. Elena viste muy bien, ... una mujer elegante.

4. Ramón .... deprimido, por eso no sonríe últimamente.

5. María .... una mujer desordenada.

6. Roberto .... feo, pero es muy simpático.

7. Algo le pasa a Luisa, ... preocupada.

8. José .... optimista, todo le parece bien.

9. Enrique .... contento, mañana se va de vacaciones.

Aciertos: .... **de**

7. Conversaciones telefónicas.

Completa con los verbos *ser* o *estar* en la forma adecuada.

■ ¿Sí? ¿Quién ....es....? $_0$
● Hola, ...Pedro. $_1$
■ ¡Ah, hola, Pedro! Yo ....Sandra. $_2$
● ¡Qué tal, Sandra? Oye, ¿..............Rafael? $_3$
■ No, no ...., acaba de salir. $_4$
● ¡Vaya! ¿Cuándo va a volver?
■ No sé, pero .... en casa de Laura. Puedes llamarlo allí. $_5$
● Vale, gracias. Hasta luego.

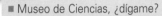

■ Museo de Ciencias, ¿dígame?
● Buenos días. ¿..............abierto el museo esta tarde? $_6$
■ No, los domingos por la tarde ....cerrado. $_7$
● ¿Cuál ....el horario? $_8$
■ De martes a jueves, de 10.00 a 20.00, y los domingos, de 10.00 a 14.30.
● El museo ....muy cerca del paseo de la Castellana, ¿verdad? $_9$
■ Sí, muy cerca. ....a unos cinco minutos andando. $_{10}$
● ¿Y cuánto ....el precio de la entrada? $_{11}$
■ Los domingos ....gratuito. $_{12}$
■ Muy amable. Muchas gracias.
■ De nada.

Aciertos: .... **de 12**

TODO OÍDOS. Escucha el diálogo.

10

■ Sí, dígame.
● Hola, mamá, **soy** Felipe.
■ Hola, hijo, ¿dónde **estás**?
● **Estoy** en un pueblo de Granada, en la casa de unos amigos. La casa **es** preciosa. **Es** muy antigua, pero **está** muy bien conservada. Parece un palacio. Además estos amigos **son** estupendos.
■ Bueno, ya veo que **estás** muy contento. Oye, ¿cuándo vuelves a casa?
● No lo sé todavía. Te llamo otro día. Adiós. Un beso.
■ Adiós.

Total de aciertos: .... **de 67**

EVALÚATE

| Muy bien | Bien | Regular | Mal |

25

Componentes:

Los posesivos

FORMA	USO
Los adjetivos y pronombres posesivos.	Para expresar la posesión o la pertenencia.

¿De quién es este bolígrafo?

¿Y estas gafas?

Son **mías**.

Es **mío**.

11

FORMA

Los posesivos			Un poseedor			Varios poseedores		
			yo	tú	él, ella usted	nosotros nosotras	vosotros vosotras	ellos, ellas ustedes
Átonos	Masculino	Singular	mi	tu	su	nuestro	vuestro	su
		Plural	mis	tus	sus	nuestros	vuestros	sus
	Femenino	Singular	mi	tu	su	nuestra	vuestra	su
		Plural	mis	tus	sus	nuestras	vuestras	sus
Tónicos	Masculino	Singular	mío	tuyo	suyo	nuestro	vuestro	suyo
		Plural	míos	tuyos	suyos	nuestros	vuestros	suyos
	Femenino	Singular	mía	tuya	suya	nuestra	vuestra	suya
		Plural	mías	tuyas	suyas	nuestras	vuestras	suyas

USO

1. Los posesivos indican la posesión o la pertenencia.
  ○ ¿Vamos en **mi** coche? ● No, mejor vamos en el **mío**.

2. La forma del posesivo corresponde a la persona poseedora y concuerda en género (masculino o femenino) y número (singular o plural) con el sustantivo (persona u objeto poseído) con el que va o al que sustituyen.
  Mi bolígrafo es verde y **mis** cuadernos, azules.
  ○ ¿Esta es **vuestra** habitación? ● No, la **nuestra** es esa.

3. Las formas su, sus, suyos, suyas son a veces ambiguas. Pueden referirse a: de él, de ella, de ellos, de ellas, de usted, de ustedes.
  Telefoneo con **su** móvil. Puede ser de él, de ella, de ellos, de usted...
  La situación indica a quién o a qué se refiere:
  Estoy con Juan y telefoneo con **su** móvil.

4. No se usa el posesivo cuando la relación de posesión es evidente (partes del cuerpo, vestidos, objetos personales, etc.) o cuando la relación de posesión está indicada por un pronombre. Se usa entonces el artículo: el, la, los, las.
  Vende el coche y no *Vende su coche.
  Me lavo la cara y no *Me lavo mi cara.

Los posesivos átonos:

1. Van delante del sustantivo. Vamos en **mi** coche.

2. Solo las formas nuestro y vuestro concuerdan también en género (masculino o femenino) con el sustantivo.
  Nuestro coche y **nuestra** casa.

Los posesivos tónicos:

1. Normalmente van sin sustantivo.
  ■ Y van precedidos de un artículo definido, cuando ya se sabe a qué cosa o persona nos referimos.
    Mi impresora no funciona. ¿Puedo usar **la tuya**? (Tu impresora)
  ■ O van solos o con el verbo ser para expresar pertenencia.
    ○ ¿De quién es este bolígrafo? ● **Mío** / Es **mío**.

2. Pueden ir detrás del sustantivo para indicar uno o varios individuos de un conjunto.
  Conozco a una profesora **tuya**.

3. Concuerdan en género y número con el sustantivo al que se refieren.

Ejercicios

1. Posesivos tónicos o átonos.
Marca la forma correcta.

0. ¿Dónde están .... padres?   ☑ tus   ☐ tuyos
1. ○ ¿De quién es este teléfono móvil? ● .... ☐ Su   ☐ Suyo
2. Tengo una película .... en mi casa. ☐ tu   ☐ tuya
3. No me gusta esa costumbre .... ☐ tu   ☐ tuya
4. ¿Cómo está .... abuelo? ☐ tu   ☐ tuyo
5. No encuentro a .... perro. ☐ mi   ☐ mío

Aciertos: .... **de 5**

2. ¿De quién es...?
Responde a las preguntas como en el ejemplo.

0. ¿De quién es este coche?   ...._Suyo_.... (De ellos)
1. ¿De quién es esa moto?   .... (Yo)
2. ¿De quién son estos pantalones?   .... (De mi hermana)
3. ¿De quién es este niño?   .... (De Luis y Clara)
4. ¿De quién son esas entradas de cine?   .... (De vosotros)
5. ¿De quién es este bocadillo?   .... (Tú)
6. ¿De quién es esta carta?   .... (De usted)
7. ¿De quién son aquellos libros?   .... (De nosotras)
8. ¿De quién es este jersey?   .... (De la profesora)

Aciertos: .... **de 8**

3. Posesivos tónicos.
Completa las frases.

0. ○ ¿Conoces a este pintor?
   ● Sí, tengo un cuadro ..._suyo_........... .

1. ○ ¿Te gusta este grupo musical?
   ● Sí, tengo un disco ....

2. ○ En mi casa no hay luz desde ayer.
   ● Nosotros tenemos un amigo electricista.
   ○ ¿Ah, sí? ¿Y puede venir a mi casa ese amigo ....?

3. ○ Juan, ¿son todos estos perros ....?
   ● No, paseo a los perros de otras personas.

4. ○ ¿A quién estáis esperando?
   ● A un tío .... de Venezuela. Pero no lo conocemos.
   ○ ¿Y tenéis una foto ....?
   ● Sí, claro. Es esta.

5. ○ Pedro López es un gran escritor. ¿Lo conoces?
   ● No.
   ○ Pues yo tengo un libro .... ¿Quieres leerlo?

Aciertos: .... **de 6**

Ejercicios

4. Me pasa de todo.

Sustituye, como en el ejemplo, los sustantivos para no repetirlos.

0. Mi móvil no funciona. ¿Me dejas tu móvil? ....*¿Me dejas el tuyo?*............

1. Tengo la moto en el taller. ¿Puedo utilizar tu moto? ....

2. No me gusta mi helado. Prefiero vuestros helados. ....

3. Prefiero tu apartamento a mi apartamento. Es más grande. ....

4. No tengo impresora a color. ¿Puedo usar tu impresora? ....

5. Mis gafas de sol no son buenas. Son mejores sus gafas de sol. ....

Aciertos: .... **de 5**

5. ¡Qué lío! ¿De quién es cada cosa?

Observa el cuadro y completa con los posesivos adecuados.

TÚ	USTED	VOSOTROS
Diccionario pequeño	*Cartera negra*	*Cuadernos grises*

Móvil sin cámara	*Llavero de plata*	*Mochilas grandes*

0. ● Abel, ¿es ....*tuyo*.......... este diccionario grande?

    ○ No, ...*el mío*.......... es ese pequeño.

1. ● Pepe y Pilar, ¿son .... estos cuadernos azules?

    ○ No, ... son esos grises.

2. ● Señora, ¿es .... esta cartera marrón?

    ○ No, ... es esa negra.

3. ● Señora, ¿es .... este llavero de plástico?

    ○ No, ... es de plata.

4. ● Abel, ¿es .... este móvil con cámara?

    ○ No, ... no tiene cámara.

5. ● Pepe y Pilar, ¿son .... estas mochilas pequeñas?

    ○ No, ... son esas grandes.

Aciertos: .... **de**

6. ¿*El mío* o *mío*?
Marca la respuesta correcta.

0. ● ¿Este es tu coche?

   ○ No, ... es aquel.   ☐ mío   ☑ el mío

1. ● ¿De quién es esta cámara?

   ○ ....   ☐ Nuestra   ☐ La nuestra

2. ● Isabel Coixet es una buena directora de cine.

   ○ Tengo que ver alguna película ....   ☐ suya   ☐ la suya

3. ● ¿Quién es Eloísa?

   ○ Es una compañera .... del instituto.   ☐ nuestra   ☐ la nuestra

4. ● Me gusta más esta casa que ....   ☐ mía   ☐ la mía

5. ● ¿Este sombrero es de tu madre?

   ○ No, ... es negro.   ☐ suyo   ☐ el suyo

6. ● Estas son mis camisetas. .... están en el cajón.   ☐ Tuyas   ☐ Las tuyas

7. ● Tenemos el mismo teléfono móvil, ¿no?

   ○ Sí, pero .... tiene conexión a Internet.   ☐ mío   ☐ el mío

Aciertos: .... **de 7**

7. Ana va a casa de Lucía a estudiar.
Completa los posesivos.

Ana: ¡Hola! ¿Está Lucía en casa? Soy una amiga ....*suya*.......... de la facultad.

Madre de Lucía: Sí, está en .... habitación. Puedes dejar .... cosas aquí.

¡Lucía! Está aquí una amiga .... de la facultad.

Lucía: ¡Hola, Ana! Vamos a .... habitación.

Ana: ¡Qué grande es .... habitación! La .... es muy pequeña.

Lucía: Sí, es bastante grande. Oye, mañana es el cumpleaños de .... hermano Luis. Te invita a .... fiesta. ¿Quieres venir?

Ana: Sí, gracias. .... hermano es muy simpático y .... amigos son también muy divertidos.

Lucía: Bueno, vamos a estudiar, que mañana con la fiesta de .... hermano no podemos estudiar.

Aciertos: .... **de 11**

TODO OÍDOS. Escucha el diálogo.

■ Toma, ¿es esta **tu** mochila?

● No, **la mía** es aquella negra. Esta es de César.

■ ¿Estás seguro? Yo creo que **la suya** es más pequeña.

● Puede ser. Pero, desde luego, **la mía** no es.

Total de aciertos: .... de 52

EVALÚATE

Muy bien   Bien   Regular   Mal

Componentes:

Los comparativos

FORMA	USO
Más que, menos que, tan(to) como.	Para comparar.

13

¿Este piso es céntrico?

No, no es **tan** céntrico **como** el otro, pero es **más** barato.

FORMA

	La comparación	
	Con adjetivos y adverbios	
+	**Más... que**	*El escáner es **más** nuevo **que** el ordenador.* *Mi casa está **más** lejos **que** la tuya.*
–	**Menos... que**	*Sara es **menos** simpática **que** Samuel.* *La pizzería está **menos** lejos **que** el restaurante chino.*
=	**Tan... como**	*La falda es **tan** elegante **como** el pantalón.* *Caminas **tan** despacio **como** yo.*
	Con sustantivos	
+	**Más... que**	*Siempre hago **más** ejercicios **que** tú.*
–	**Menos... que**	*Los domingos hay **menos** tráfico **que** los lunes.*
=	**Tanto, tanta, tantos, tantas... como**	*Tengo **tantos** años **como** tú.*
	Con verbos	
+	verbo + **más que**	*La niña duerme **más que** el niño.*
–	verbo + **menos que**	*Mi mujer come **menos que** yo.*
=	verbo + **tanto como**	*Teresa estudia **tanto como** tú.*

Comparativos irregulares con adjetivos	
más pequeño/a (de edad)	**menor**
más grande (de edad)	**mayor**
más bueno/a	**mejor**
más malo/a	**peor**
Comparativos irregulares con adverbios	
más bien	**mejor**
más mal	**peor**

USO

1. *Tanto* con verbos es invariable.
   *Luis estudia **tanto como** su hermano.*
   *Luis y Elena estudian **tanto como** sus hermanos.*

2. *Tanto, tanta, tantos* y *tantas* seguidos de sustantivos concuerdan con ellos en género y en número.
   *Tengo **tantos** problemas como usted.*
   *Hay **tantas** mujeres como hombres.*

3. *Mayor* y *menor* se refieren a la edad. Cuando se refieren al tamaño se utilizan con la forma regular **más grande** y **más pequeño**.
   *Mi hermano es **menor que** yo (tiene menos años que yo), pero es **más grande**, mide casi dos metros.*

4. Los comparativos irregulares con adjetivos (*menor, mayor, mejor* y *peor*) concuerdan en número con los sustantivos a los que se refieren.
   *Las películas españolas son **mejores** que las americanas.*

Ejercicios

1. Más o menos.
Cambia la frase, para decir lo mismo, como en el ejemplo.

0. Pedro es más inteligente que yo. ...... *Yo soy menos inteligente que Pedro.*
1. La vida es más cara en la ciudad que en el campo. ....
2. Eres menos rápido que yo. ....
3. El sillón es más cómodo que la silla. ....
4. Este piso es más antiguo que el tuyo. ....
5. José es menos simpático que Luis. ....
6. Este ejercicio es más fácil que el anterior. ....
7. Él tiene menos dinero que yo. ....
8. Nosotros estudiamos más que vosotros. ....
9. Este ordenador es más que caro que el otro. ....

Aciertos: .... **de 9**

2. Tan, tanto, tanta, tantos, tantas.
Completa las frases.

0. Miguel ve ...... *tantas* ...... películas como tú.
1. España no tiene .... habitantes como Alemania.
2. Este traje es .... bonito como el tuyo.
3. Hacer deporte me gusta .... como estudiar.
4. María no compra .... cosas como su hija.
5. La calidad de vida no es .... buena como antes.
6. Ganamos .... dinero como vosotros.
7. Nuestros hijos practican .... deportes como los vuestros.
8. Leemos .... como vosotros.
9. Tienen .... años como nosotros.

Aciertos: .... **de 9**

3. Como o que.
Completa las frases.

0. Pedro es tan pesimista ...... *como* ...... yo.
1. María es más alta .... su vecina.
2. Su trabajo es más interesante .... el tuyo.
3. Le gusta menos esta película .... la otra.
4. No va tanto al teatro .... antes.
5. Las noticias circulan más rápido .... en otros tiempos.
6. Me gusta tanto comer fuera de casa .... comer en casa.
7. Su casa está tan cerca del centro .... la mía.
8. Viajar es más fácil ahora .... antes.
9. Este coche es tan caro .... el otro.

Aciertos: .... **de 9**

4. Dos opciones.
Escoge la opción correcta.

0. No tiene **tan / <u>tantos</u>** amigos como yo.

1. Es más exigente **que / como** su padre.

2. Trabaja **tanto / tantas** horas como sus compañeros.

3. Luis gana más dinero **que / como** Raimundo.

4. Me gusta menos escribir cartas **que / como** mandar correos electrónicos.

5. Cristina es **tan / menos** trabajadora que Natalia.

6. Es mucho más tímido **como / que** su hermano.

7. La película de hoy es **tan / tanta** interesante como la de ayer.

8. Estudiamos **tanto / tantos** como tú.

9. Tú no comes **tanto / tantos** como yo.

Aciertos: .... **de 9**

5. Compara.
Forma frases como en el ejemplo.

0. El tren AVE / es rápido / tren TALGO. (+)   *El tren AVE es más rápido que el tren TALGO.*

1. En China / hay habitantes / en Japón. (+)

2. Los argentinos / comen carne / los brasileños. (=)

3. En los países del Ecuador / hace frío / en los países de los trópicos. (-)

4. La torre de Pisa / es alta / la estatua de la Libertad. (-)

5. Los españoles / son guapos / los italianos. (=)

6. Los franceses / exportan queso / los belgas. (+)

7. El queso manchego / es bueno / el queso gallego. (=)

8. Los andaluces / trabajan / los catalanes. (=)

9. Los gatos / son independientes / los perros. (+)

Aciertos: .... **de 9**

6. A veces las comparaciones son odiosas.
Relaciona y completa las comparaciones.

0. Mi hermano mide 1,90 y yo mido 1,80.

1. Mi hermano pesa 85 kilos, yo peso 90.

2. Mi hermano tiene tres años más que yo.

3. Mi hermano practica muchos deportes, yo solo juego al golf.

4. Mi hermano gana 4.200 € al mes, yo solo gano 2.800.

5. Mi hermano tiene muchos amigos, yo tengo pocos.

6. Mi hermano viaja mucho, yo viajo poco.

7. Mi hermano lee más de veinte libros al año, yo solo leo seis o siete.

a. Él practica .... deportes .... yo

b. Yo no gano .... dinero como él.

c. Él es ..*más*.. alto ..*que*.. yo.

d. Yo leo .... libros .... él.

e. Él es .... yo.

f. Yo no viajo .... como él.

g. Él está .... delgado .... yo.

h. Yo tengo .... amigos .... él.

Aciertos: .... **de**

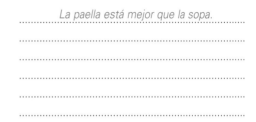

7. Comparativos irregulares.

Forma las frases como en el ejemplo.

0. La paella está / buena / la sopa.

La paella está mejor que la sopa.

1. Ernesto es / grande / su hermana. ....

2. Este ejercicio está / mal / el otro. ....

3. Hoy el gazpacho está / bueno / ayer. ....

4. Jaime es / pequeño / tu hijo. ....

5. El enfermo está / mal / ayer. ....

Aciertos: .... **de 5**

8. Las fichas del médico.

Lee y di si es verdadero (V) o falso (F).

Nombre: Elena
Apellidos: Sánchez López
Edad: 28 años
Estatura: 1,62 m.
Peso: 59 kg.
Cociente intelectual: 90
Estado civil: casada.
Nº de hijos: 1
Ritmo de vida: duerme 7 horas diarias y trabaja 10 horas diarias.
Días de vacaciones al año: 35.
Ingresos anuales: 30.000 euros.
Aficiones: deporte y bailar.

Nombre: Jaime
Apellidos: Torres Pérez
Edad: 26 años
Estatura: 1,78 m.
Peso: 75 kg.
Cociente intelectual: 85
Estado civil: casado.
Nº de hijos: 2
Ritmo de vida: duerme 7 horas diarias y trabaja 8 horas diarias.
Días de vacaciones al año: 31.
Ingresos anuales: 20.000 euros.
Aficiones: leer y deporte.

	V	F
0. Elena es menor que Jaime.	☐	☑
1. Jaime es más alto que Elena.	☐	☐
2. Elena tiene tantos hijos como Jaime.	☐	☐
3. Elena es más inteligente que Jaime.	☐	☐
4. Elena duerme tanto como Jaime.	☐	☐
5. Elena trabaja menos que Jaime.	☐	☐

	V	F
6. Jaime gana menos que Elena.	☐	☐
7. Elena tiene tantos días de vacaciones como Jaime.	☐	☐
8. Elena pesa menos que Jaime.	☐	☐
9. Elena lee mucho más que Jaime.	☐	☐

Aciertos: .... **de 9**

TODO OÍDOS. Escucha el diálogo.

- ¿Tienes hambre? ¿Preparo unos macarrones?
- Vale, te ayudo, yo puedo hacer una ensalada.
- En la nevera hay lechuga y tomates.
- Huy, ¿no tienes tomates **más** maduros **que** estos?
- Sí, estos son **mejores**, no están **tan** verdes **como** esos.
- Perfecto. ¿Preparo un postre también?
- No. Yo no como **tanto como** antes. Necesito adelgazar.
- Tienes razón. Yo también. Hoy sin postre.

Total de aciertos: .... **de 66**

EVALÚATE

Muy bien   Bien   Regular   Mal

33

El superlativo

FORMA	USO
La formación del superlativo en -*ísimo*, *muy* y *el más / menos*.	Para destacar una cualidad.

8

15

Este restaurante es **muy** bueno.

Sí, pero es **carísimo**.

FORMA

	Adjetivo o adverbio + **-ísimo/a** • Si el adjetivo o adverbio acaban en vocal se quita la vocal. • Si el adjetivo o adverbio termina en -*co*, -*ca*, la *c* se cambia por *qu*. • Si el adjetivo o adverbio termina en -*go*, -*ga* se añade una *u*.		fácil ⟶ facilísimo alto/a ⟶ altísimo/a tarde ⟶ tardísimo *Esto es facilísimo.* *Hoy llegas tardísimo.* poco ⟶ poquísimo larga ⟶ larguísima
Superlativo sin comparación	**Muy** + adjetivo		*Este coche es* **muy** *pequeño.*
Superlativo con comparación	**el / la / los / las** (+ sustantivo) **más** + adjetivo	**de** + sustantivo **que** + frase	*Juan es* **el** *(alumno)* **más** *listo de la academia.* *Este país es* **el menos** *desarrollado del mundo.*
	el / la / los / las (+ sustantivo) **menos** + adjetivo		*Marta es* **la** *(mujer)* **más** *inteligente* **que** *conozco.* *Este vestido es* **el menos** *elegante* **que** *tengo.*

USO

-ísimo/a y muy:

Destacan una cualidad de una persona o cosa sin compararla con otras.
Juan es **altísimo**.

El / la / los / las... más / menos + adjetivo:

1. Destacan una cualidad de una persona o cosa comparada con otras.
Juan es **el más** *alto* **de** *todos los hermanos.*

2. Superlativos irregulares:
el / la más pequeño/a (de edad) ⟶ **el / la menor**
el / la más grande (de edad) ⟶ **el / la mayor**
el / la más bueno/a ⟶ **el / la mejor**
el / la más malo/a ⟶ **el / la peor**

Ejercicios

1. *El más* y *el menos*.
Completa la frase según el modelo.

0. Antonio es ......*el*...... chico .....*más*.... alto de la clase (más).

1. Esta es .... casa .... bonita del pueblo (más).

2. María es .... joven .... agradable del grupo (menos).

3. Estos son .... días .... largos del año (más).

4. Los tuyos son .... padres .... simpáticos que conozco (más).

5. Es .... novela .... interesante de estos últimos años (menos).

6. El golf es .... deporte .... atractivo para los jóvenes (menos).

7. Es .... programa de televisión .... aburrido que hay (menos).

Aciertos: .... **de 7**

2. *-ísimo/a*.
Transforma las adjetivos y adverbios en superlativos.

0. cerca ......*cerquísima*.... **8.** lento ....

1. baja .... **9.** guapa ....

2. fácil .... **10.** bueno ....

3. tarde .... **11.** caro ....

4. poco .... **12.** mala ....

5. tranquilo .... **13.** pequeño ....

6. temprano .... **14.** mucha ....

7. interesante .... **15.** largo ....

Aciertos: .... **de 15**

3. *Muy* e *-ísimo*.
Transforma las frases como en el ejemplo.

0. El cine está muy lejos. ....*El cine está lejísimos.*

1. Hoy llegas muy pronto. ....

2. El profesor es muy gracioso. ....

3. Ese coche es muy caro. ....

4. Este cuadro es muy feo. ....

5. Pedro es un chico muy interesante. ....

6. Tus amigos son muy educados. ....

7. Es una ciudad muy grande. ....

8. Estoy leyendo un libro muy divertido. ....

9. Me queda muy poco dinero. ....

10. Esos problemas son muy difíciles. ....

Aciertos: .... **de 10**

4. *-ísimo* y *muy.*
Transforma las frases como en el ejemplo.

0. El día es cortísimo. ....*El día es muy corto.*............
1. Este café está malísimo. ....
2. El tren es rapidísimo. ....
3. Es una comida pesadísima. ....
4. Este pastel es dulcísimo. ....
5. Paso por calles estrechísimas. ....
6. Aquí respiramos un aire purísimo. ....
7. Esa corbata es elegantísima. ....
8. Las camisas están blanquísimas. ....
9. Pilar está delgadísima. ....
10. Mi novio es listísimo. ....

Aciertos: .... **de 1**

5. Superlativos irregulares.
Completa con *mayor, menor, mejor, peor.*

0. Las últimas horas de la tarde son muy malas. Son las ......*peores*...... horas del día.
1. Estos productos son muy buenos. Son los .... que tenemos.
2. Esta película me gusta mucho. Es la .... de todas.
3. Mi abuelo tiene muchos años. Es el .... de toda la familia.
4. Esta línea funciona muy mal. Tiene los .... autobuses de la ciudad.
5. No compro en esa tienda. Tienen los .... productos del barrio.
6. Tengo tres hijas: Marta, de 12 años, Susana, de 9, y la .... es Lidia, de 2.

Aciertos: .... **de**

6. Superlativos con y sin comparación.
Marca la respuesta correcta.

0. Pablo mide 1,40 m, Marta mide 1,53 m y Jesús mide 1,68 m. Jesús es .... de los tres.
   ☐ mayor   ☑ el más alto   ☐ altísimo
1. Mónica tiene 1.000 euros, Raquel tiene 2.500 euros y Susana no tiene dinero. Susana es ....
   ☐ riquísima   ☐ la más rica   ☐ muy pobre
2. El libro de Historia tiene 300 páginas, el de Matemáticas tiene 230 y el de Español tiene 120. El libro de Historia es ....
   ☐ el más gordo   ☐ mayor   ☐ delgadísimo
3. La película de Almodóvar es interesante, la de Amenábar es buenísima y la película de Coixet es buena. Para mí, la película de Amenábar es ....
   ☐ la mayor   ☐ la mejor   ☐ la peor
4. Juan llega todos los días a las 7.30 h, José María a las 8.00 y Esteban a las 8.20. Esteban siempre llega ....
   ☐ tardísimo   ☐ el más tarde   ☐ el mayor tarde
5. La paella está mala, el gazpacho está bueno, pero el flan está buenísimo. La paella es .... plato.
   ☐ el mejor   ☐ el más malo   ☐ el peor

Aciertos: .... **de**

7. **Miranda está enseñando las fotos de su boda a Pepa.**
Cambia el adjetivo o el adverbio marcado por un superlativo terminado en *-ísimo/a*.

Miranda: Mira, estas son las fotos de mi boda. Aquí estoy en casa, con mis padres, antes de salir.

Pepa: Estabas **muy guapa** .*guapísima*.. con ese vestido **largo** .... ¿Era de tu madre? [0] [1]

Miranda: No, era un vestido nuevo. El vestido de mi madre me quedaba **muy pequeño** .... [2]

Pepa: Tus padres también están **muy elegantes** .... [3]

Miranda: Y aquí estamos en la puerta de la iglesia, con todos mis hermanos.

Pepa: ¿Este es tu hermano pequeño? Pues está **muy alto** .... Y además parece un [4]
chico **muy interesante** .... [5]

Miranda: Oye, que ya tiene novia.

Pepa: No lo digo por eso, mujer.

Miranda: En esta foto también hay otros chicos **muy buenos** .... [6]

Pepa: Estos son **muy feos** ...., Miranda. [7]

Miranda: Bueno, pero son **muy simpáticos** .... Son los compañeros de trabajo de mi mari- [8]
do. Nos reímos **mucho** .... con todos ellos. Aquí ya estamos en el restaurante. [9]

Pepa: ¡Huy! Hay **mucha** .... gente, ¿no? [10]

Miranda: Sí, más de 300 personas. Es un restaurante **muy grande** .... que está a las afue- [11]
ras de la ciudad. Y aquí estamos en una fiesta en una discoteca que está **muy cerca**
.... del restaurante. Un día inolvidable. [12]

Pepa: ¡Qué suerte!

Aciertos: .... **de 12**

TODO OÍDOS. Escucha el diálogo.

16

- Mi profesor es **malísimo**. No le entiendo nada cuando nos explica la gramática.
- ¿Sí? Pues mi profesora es **buenísima**, es **la mejor** de todos. Nos explica la gramática de forma **muy clara** y además es **muy divertida**.
- ¡Qué suerte! ¿Os hace muchos exáme- nes?
- No, **poquísimos**.
- Pues el mío nos hace uno todas las semanas. Es **muy exigente**.

Total de aciertos: .... **de 65**

EVALÚATE

| Muy bien | Bien | Regular | Mal |

Componentes:
Los indefinidos

	FORMA	USO
	Los adjetivos y pronombres indefinidos.	Para referirse a personas u objetos no concretos.

17

¿Tienes **algún** compañero español en el piso?

No, **ninguno. Todos** somos extranjeros.

FORMA

		Afirmativo	Negativo
Un elemento indeterminado	**Persona**	alguien	nadie
	Objeto	algo	nada
Uno o varios elementos de un grupo de personas u objetos		alguno, alguna, algunos, algunas	ninguno, ninguna, ningunos, ningunas
		todo, toda, todos, todas	
		otro, otra, otros, otras	

USO

1. Los indefinidos se utilizan para referirse a personas, animales o cosas no concretas.

2. Cuando los indefinidos negativos van detrás del verbo, hay que poner un **NO** delante del verbo.
Ninguno me interesa. No me interesa ninguno.
¿Nadie va a ayudarme? No va a ayudarte nadie.
¿Nada te gusta? ¿No te gusta nada?

Alguien, nadie, algo, nada:

1. Son formas invariables y no se utilizan para expresar plural.

2. *Alguien* y *algo* se refieren a una persona o a una cosa sin mencionarla.
¿Alguien conoce a Pedro? ¿Quieres tomar algo?

3. *Nadie* y *nada* se refieren a la no existencia de una persona o de una cosa.
No hay nadie en clase. No hay nada en la nevera.

Alguno/a/os/as y ninguno/a/os/as:

1. Se refieren a individuos o a varios elementos de un mismo grupo.
● *¿Vienen tus amigos?* ■ *Sí, vienen algunos.*
● *¿Hay botellas de agua?* ■ *No, no queda ninguna.*

2. *Alguno* y *ninguno* pierden la -o final delante de un sustantivo masculino singular.
● *¿Hay algún profesor aquí?*
■ *No, no hay ningún profesor.*

Todo/a/os/as:

1. Se refiere a un grupo entero de personas o cosas.
Me gustan todas estas fotos.
¿Llegaron bien todos los chicos?

2. Puede ir delante de un sustantivo o sin él. En caso de ir con sustantivo, entre *todo/a/os/as* y el sustantivo hay un artículo definido, un demostrativo o un posesivo.
Me gustan todas. Me gustan todas las fotos.
Me gustan todas esas fotos. Me gustan todas tus fotos.

3. Concuerda en género y número con el sustantivo.
Vienen todas las chicas y todos los chicos.

4. La forma invariable *todo* se utiliza sin sustantivo para referirse a todas las cosas de forma indefinida, no relativas a un grupo. Es lo contrario de *nada*.
○ *¿Qué os gusta de esta tienda?*
● *Me gusta todo. Todo es interesante.*
■ *Pues a mí no me gusta nada.*

Otro/a/os/as:

1. Se refiere a varias personas o cosas diferentes, pero del mismo grupo.
Voy a consultar a otro médico.
Hay muchos caramelos. ¿Quieres otro?

2. Puede ir delante de un sustantivo o sin él y concuerda con él en género y número.
Me cambio de colegio y voy a tener otros profesores.
Estos lápices de colores no son buenos, necesito otros.

3. Puede ir con un artículo definido, pero nunca con uno indefinido.
Este me gusta mucho y el otro no.
Este no me gusta, quiero otro.

Ejercicios

1. Todo y nada.
Relaciona.

- **0.** todo
- **1.** alguno
- **2.** algo
- **3.** alguien
- **4.** algún

- **a.** nada
- **b.** nadie
- **c.** ningún
- **d.** ninguno
- **e.** nada

Aciertos: .... **de 4**

2. Los contrarios.
Vuelve a escribir las frases expresando lo contrario.

- **0.** Tengo algún libro de Isabel Allende. → *No tengo ningún libro de Isabel Allende.*
- **1.** Tengo algo para ti en este bolsillo. ....
- **2.** Alguien te va a dar un regalo. ....
- **3.** No tengo contacto con ninguno de mis compañeros. ....
- **4.** ¿Me recomiendas alguna película de Almodóvar? ....
- **5.** Todo me sale muy bien. ....

Aciertos: .... **de 5**

3. Dos opciones.
Subraya la correcta.

- **0.** ¿Tienes <u>algún</u> / **ningún** disco de este cantante famoso?
- **1.** **Ningún / Ninguno** estudiante quiere sacar malas notas.
- **2.** Creo que aquí hay **alguien / nadie** que entiende de música clásica.
- **3.** **Ningún / Alguno** alumno quiere hacer el trabajo.
- **4.** ¿Tienes **alguna / algún** novela de Gabriel García Márquez?
- **5.** ¿Quieres beber **algo / nada**?
- **6.** Hay **alguien / nadie** que te espera en la entrada.
- **7.** ¿Tienes **alguna / algún** pregunta que hacerme?
- **8.** Hoy no hay **algo / nada** interesante en la televisión.
- **9.** No entiendo **nada / alguien** de eso.
- **10.** ¿Tiene **algún / alguno** día libre esta semana?

Aciertos: .... **de 10**

4. *Algo, alguien, nada, nadie.*
Completa las frases.

- **0.** ¿Necesitas ....*algo*....?
- **1.** ¿Viene .... a comer hoy?
- **2.** ¿Te pasa ....? Tienes mala cara.
- **3.** El director sabe la verdad porque .... le informa de todo.
- **4.** Con este mal tiempo, no se puede hacer ....
- **5.** En este edificio ya no vive ....

- **6.** ¿Tienes .... que hacer este fin de semana?
- **7.** Conmigo no viene .... Todos se van con ella.
- **8.** Esto está muy tranquilo. .... no va bien.
- **9.** ○ ¿.............. duerme en esta habitación?
  - ● No, aquí no duerme ....

Aciertos: .... **de 10**

Ejercicios

5. *Algún, alguno (a, os, as), ningún, ninguno (a).*
Completa las frases.

0. .....*Algunas*.... personas son muy generosas.

1. Te veo preocupado. ¿Tienes .... problema?

2. .... preguntas del examen son muy difíciles.

3. En este cine no ponen .... película de terror.

4. ¿Conocéis .... restaurante mexicano por esta zona?

5. No tenemos .... noticia de Pedro y Alicia.

6. Necesitamos .... horas más.

7. No viene a verme .... compañero de clase.

Aciertos: .... **de 7**

6. Preguntas y respuestas.
Relaciona.

0. ¿Tiene otra habitación libre?

1. ¿Quién llama por teléfono?

2. ¿Te gustan las películas policíacas?

3. ¿Te gusta la paella?

4. ¿Qué quieres hacer hoy?

5. ¿Qué ejercicio te recomienda el médico?

6. ¿Tienes muchos amigos?

7. ¿Vienen muchos a la fiesta?

8. ¿Qué cenamos hoy?

9. ¿Quién puede ganar el premio?

a. Nadie. Son todos muy malos.

b. Nadie. Es una equivocación.

c. Sí, quiero otro plato.

d. No me recomienda ninguno, solo relajarme.

e. No quiero hacer nada, nos quedamos en casa.

f. No hay nada en la nevera. ¿Cenamos fuera?

g. Sí, me gustan casi todas.

h. Sí, hay otra, pero es más pequeña.

i. Sí, vienen todos.

j. Tengo algunos, pero ninguno íntimo.

Aciertos: .... **de 9**

7. Test de indefinidos.
Marca la respuesta correcta.

0. ○ ¿Tienes más hambre? ¿Quieres comer más?

  ● Sí, quiero .... bocadillo, por favor.   ☑ otro   ☐ alguno   ☐ todo

1. ○ Lo siento, no hay billetes para este tren.

  ● ¿Y cuándo sale ...., por favor?   ☐ otro   ☐ todo   ☐ ninguno

2. ○ ¿Qué ponen esta noche en la tele?

  ● No hay .... programa interesante.   ☐ ninguno   ☐ nada   ☐ ningún

3. ○ ¿Te gustan las novelas de Vargas Llosa?

  ● Sí, las tengo ....   ☐ otras   ☐ ninguna   ☐ todas

4. ○ ¿Vas algún día a la piscina?

  ● Sí, voy .... las tardes.   ☐ algunas   ☐ todas   ☐ otras

5. ○ ¿Ves algo desde ahí?

  ● Sí, veo ....   ☐ todo   ☐ nada   ☐ nadie

6. ○ Estoy llamando a casa de Juan, pero no contestan.

  ● Creo que no hay ....   ☐ alguno   ☐ nadie   ☐ alguien

Aciertos: .... **de**

8. Unos mucho y otros nada.

Completa las frases como en el ejemplo.

0. Juan tiene muchos coches, pero Tomás ...*no tiene ninguno.*...

1. Elena tiene tres casas, pero Lucio ....

2. Ernesto sale todos los días, pero Miguel ....

3. Ángela lleva siempre dos móviles en el bolso, pero Sonia ....

4. Andrés ve todas las películas de José Luis Garci, pero Marta ....

5. A Alejandro le llama alguien todas las tardes, pero a Laura ....

6. Luis lee dos periódicos al día, pero Carlos ....

7. Neus compra algo todas las semanas, pero Yolanda ....

Aciertos: .... **de 7**

9. Escena teatral: *Ruidos en la noche.*

Completa con el indefinido adecuado.

(Una mujer y su marido están durmiendo por la noche en su habitación. La mujer oye un ruido y se despierta asustada)

Mujer: Cariño, ¿no oyes ......*algo*......?

Hombre: (Se despierta en ese momento) ¿Qué? Yo no oigo ....

Mujer: Pues yo oigo un ruido. ¿Ves? Ahora .... ruido más fuerte y unos pasos. Hay .... abajo. Tengo miedo.

Hombre: Pueden ser los niños, ¿no?

Mujer: ¿Los niños? Están .... en casa de la abuela, ¿no te acuerdas?

Hombre: Ay, es verdad.

Mujer: ¿Por qué no bajas a ver?

Hombre: Voy.

(El hombre se levanta y sale de la habitación. Pasan unos minutos. La mujer no oye ....)

Mujer: ¿Qué pasa? ¿Cariño? ¿Estás bien?

(Se oyen .... golpes, luego unos pasos subiendo las escaleras. .... se acerca a la puerta de la habitación. Se apaga la luz)

Mujer: (Grita) ¡Ahhhhh!

Aciertos: .... **de 7**

TODO OÍDOS. Escucha el diálogo.

18

- ¿Por qué no hacemos una fiesta española?
- Vale. ¿**Alguien** tiene CD de flamenco?
- ¿Flamenco? No. Yo hablo de una fiesta con música pop.
- Ah, bueno. Yo tengo **algún** CD de David Bisbal.
- Perfecto. Pues yo tengo **algunos** CD de **otros** cantantes españoles. Por ejemplo, de Alejandro Sanz tengo **todos** sus discos.
- Las canciones de Alejandro Sanz son muy lentas. No se puede bailar **ninguna**. Vamos a traer **algo** más alegre, ¿vale?
- Muy bien.

Total de aciertos: .... **de 65**

EVALÚATE

Muy bien   Bien   Regular   Mal

Componentes:

Los pronombres personales
de objeto directo y objeto indirecto

FORMA	USO
Me, te, le, lo, la, nos, os, les, los, las y se.	Para no repetir los objetos indirecto y directo.

¿**Le** compramos el regalo a Pablo?

Sí. Y **se lo** damos mañana.

FORMA

	Pronombres personales de objeto indirecto	Pronombres personales de objeto directo
yo	me	me
tú	te	te
él, usted	le > se	lo
ella, usted		la
nosotros, nosotras	nos	nos
vosotros, vosotras	os	os
ellos, ustedes	les > se	los
ellas, ustedes		las

USO

Los pronombres personales de objeto indirecto y directo:

1. Se usan para sustituir al objeto directo y al objeto indirecto cuando ya se sabe de qué o de quién se habla.
  ● *Mañana es el cumpleaños de Ana. ¿**Le** regalamos un libro?*
  ■ *Vale. Esta tarde **se lo** compramos.*

2. Los pronombres siempre van delante del verbo, primero el de objeto indirecto y luego el directo.
  *¿**Te** mando el sobre? = ¿**Te lo** mando?*
  Con el infinitivo y el gerundio también pueden ir detrás y se escriben en una sola palabra.
  *Está haciéndonos la cena. = Está haciéndo**nosla**. / **Nos la** está haciendo.*
  *Quiero hacer**te** un regalo. = Quiero hacér**telo**. / **Te lo** quiero hacer.*

3. Cuando el objeto indirecto es *le* o *les* y se combina con *lo, la, los* o *las* se cambia por *se.*
  ¿Le llevo estos libros al profesor?
  CD = los CI = le
  *¿Lo los llevo? = ¿**Se los** llevo?*

4. Muchas veces aparecen en la misma frase el pronombre de objeto indirecto y el mismo objeto indirecto al que se refieren. Esto pasa sobre todo cuando están los dos objetos, el directo y el indirecto, y con los verbos de emoción y sentimiento como *gustar* o *parecer.*
  *¿**Le** llevo estos libros al profesor?*
  ***Le** voy a decir la verdad a Olga.*
  *A mi padre **le** gustan las novelas de aventuras.*

5. Además de los pronombres personales (*me, te, le, lo, la...*) a veces también utilizamos *a mí, a ti, a él...* en la misma frase.
  a) Para dejar claro de quién hablamos.
    *¿Les dejo un aviso? Puede ser a ellos, a ellas o a ustedes. ¿Les dejo **a ellos** un aviso?*
  b) Para marcar un contraste.
    ● *María me está buscando, ¿verdad?*
    ■ *No, me está buscando **a mí**.*
  c) Para dar énfasis.
    Este profesor os da clase a todos, ¿verdad?
    *No, **a mí** no me da clase. (Tal vez da clases a otros, pero a mí no).*

6. Con el verbo *haber* no se sustituye el objeto directo por pronombres.
  ● *¿Hay café?* ■ *Sí, hay.*

Ejercicios

1. Pronombres de objeto directo.
Transforma las frases como en el modelo.

0. Nos piden una explicación. ....*Nos la piden.*..............

1. Os decimos la verdad. ....

2. Te cuento la historia. ....

3. ¿No me das un beso? ....

4. Nos ponen la comida. ....

5. Os envío las flores. ....

6. Te vendo el coche. ....

7. ¿Os compro los helados? ....

Aciertos: .... **de 7**

2. *Le, les* reemplazados por *se.*
Transforma las frases como en el modelo.

0. Le doy el regalo. ....*Se lo doy.*..............

1. Les facilito las cosas. ....

2. Le enseño la nueva casa. ....

3. Le soluciono sus problemas. ....

4. Les pinto las paredes. ....

5. Le escribo la tarjeta. ....

Aciertos: .... **de 5**

3. Repetición del objeto indirecto.
Añade el pronombre de objeto indirecto necesario.

0. .....*Le*..... digo las cosas a mi amigo.

1. .... traigo el té a los invitados.

2. .... recuerdo las normas a los clientes.

3. .... entrego las notas a los estudiantes.

4. .... doy la noticia a los periodistas.

5. .... hago la pregunta al director.

6. .... presto mis libros a Ernesto.

7. .... envío el documento a Sara.

Aciertos: .... **de 7**

4. ¿A qué se refieren?
Fíjate en los pronombres y en el verbo y relaciona.

0. Te los dejo hasta el lunes.　　　　**a.** la verdad

1. Se lo envío todos los meses.　　　**b.** los cuentos

2. Se la digo siempre a mis padres.　**c.** el bocadillo

3. Te lo comes ahora mismo.　　　　**d.** los CD

4. Me las pongo en verano.　　　　　**e.** la cama

5. Nos la dan al llegar.　　　　　　　**f.** el dinero

6. Se los leo a los niños en la cama.　**g.** la bienvenida

7. Os la hacéis después de desayunar.　**h.** las gafas de sol

Aciertos: .... **de 7**

Ejercicios

5. Cuando ya sabemos a qué nos referimos.
Transforma según el modelo.

0. ¿Puedes darme el diccionario? .... *¿Puedes dármelo?* ....

1. Está escribiéndome la carta. ....

2. Me gusta regalaros cuadros. ....

3. Acabo de darle la noticia. ....

4. Está poniéndose una corbata. ....

5. Le encanta comprarse discos. ....

Aciertos: .... **de 5**

6. Responde a las preguntas.
Completa las respuestas.

0. ○ ¿Le vende el coche? ● Sí, ... *se lo vende* ....

1. ○ ¿Te trae las entradas del cine? ● No, ...

2. ○ ¿Les aprueban el examen a todos? ● Sí, ...

3. ○ ¿Os presta el dinero? ● Sí, ...

4. ○ ¿Te enseña las fotos? ● No, ...

5. ○ ¿Te hace la cama? ● No, ...

Aciertos: .... **de 5**

7. ¿Quién lo hace?
Completa las respuestas con los pronombres adecuados.

0. ○ ¿Quién te da clases de español? ● ...*Me las*... da un profesor argentino.

1. ○ ¿Quién te escribe esos correos electrónicos? ● .... escribe una chica de mi clase.

2. ○ ¿Quién os cuida la casa? ● .... cuida una amiga nuestra.

3. ○ ¿Quién les lleva a ellas los documentos? ● .... lleva la secretaria del director.

4. ○ ¿Quién les trae a ustedes las cartas? ● .... trae el cartero.

5. ○ ¿Quién te regala flores? ● .... regala mi novio.

6. ○ ¿Quién os lee cuentos por las noches? ● .... lee nuestra mamá.

7. ○ ¿Quién me deja su coche mañana? ● .... dejo yo.

8. ○ ¿Quién nos presenta a la nueva directora? ● .... presenta el presidente.

Aciertos: .... **de 8**

8. Para no repetir la información que ya sabemos.
Cambia las palabras marcadas por pronombres.

0. ○ ¿Me das mis zapatos, por favor?
● Sí, ahora mismo te doy **tus zapatos.**
.... *Sí, ahora te los doy.* ....

1. ○ ¿Nos pasas la sal, por favor?
● Sí, ahora os paso **la sal.**
....

2. ○ ¿Qué tal la carta?
● Estoy terminándote **la carta.**
....

3. ○ ¿Nos dices la verdad?
● Claro, os estoy diciendo **la verdad.**
....

4. ○ Cariño, ¿me compras este reloj?
● Vale, te compro **este reloj** para tu cumpleaños.
....

5. ○ ¿Les lavas las manos a los niños?
● Sí, les lavo **las manos** ahora mismo.
....

Aciertos: .... **de 5**

Ejercicios

Los pronombres personales
de objeto directo y objeto indirecto

9. Dos amigos hablan de sus cosas.

Completa con *me, te, lo, la, nos...* y *a mí, a ti, a él, a ella, a nosotros...* si es necesario.

0. ○ ¿...*La*..... invitas a la fiesta?

● ¿A quién? ¿A Begoña? ¡No!, no ,.............. invito. No .... soporto.

1. ○ A mi novia .... gusta mucho el fútbol, pero .... no................ gusta nada. ¿Y a vosotras?

● A .... tampoco.

2. ○ Nuestro profesor de gramática .... da también clases de pronunciación (a nosotros).

● Pues el nuestro solo .... da clase de gramática.

3. ○ María .... llama dos o tres veces a la semana (a mí).

● Pues .... llama todos los días.

4. ○ ¿Hay limonada en la nevera?

● Sí, ... hay.

○ ¿Te sirvo una?

● No, gracias, ... la limonada no .... gusta.

Aciertos: .... **de 14**

10. En un restaurante.

Relaciona y completa con el pronombre adecuado. Reduplica el pronombre si es necesario.

0. Camarero, por favor, ¿(a nosotros) ....*nos*... trae la carta?

1. ¿Qué .... recomienda de primero (a nosotros)?

2. ¿............ sirvo algún aperitivo (a ustedes)?

3. ¿............ llevo los abrigos al guardarropa (a ustedes)?

4. ¿Tienen algún postre especial?

a. Sí, por favor, a ella .... trae unas aceitunas y .... trae unas almendras.

b. No, gracias. No es necesario.

c. En seguida ...*se la*...traigo.

d. Sí, el postre de la casa. .... gusta mucho a todos nuestros clientes.

e. .... recomiendo la ensalada de la casa.

Aciertos: .... **de 8**

TODO OÍDOS. Escucha el diálogo.

■ Oye, ¿**me** puedes dejar este libro para el fin de semana?

● Lo siento, no **te lo** puedo dejar. **Se lo** voy a dejar esta tarde a un compañero. **Lo** necesita para preparar un examen.

■ Bueno, entonces, ¿**me** puedes dejar esta novela?

● Sí, esta sí **te la** puedo dejar. **Te** va a gustar mucho. Es muy buena.

■ Vale, gracias. **Te la** devuelvo el lunes.

Total de aciertos: .... **de 71**

EVALÚATE

Muy bien   Bien   Regular   Mal

45

Componentes:
Las locuciones de lugar

11

FORMA	USO
Cerca de, lejos de, al lado de...	Para situar personas y objetos.

¿Hay un metro **cerca**?

Sí, el más próximo está **a la derecha**, **detrás del** parque.

FORMA

Para indicar posición

Delante (de)		*Delante de mi casa hay una parada de autobús.*	**Entre**		*El baño está **entre** la cocina y el salón.*
Detrás (de)		*Mi casa está **detrás de** la parada del autobús.*	**A la izquierda (de)**		
Debajo (de)		*Debajo de mi casa hay un garaje.*	**A la derecha (de)**		• El árbol está **al lado de** la casa. ▪ Pero ¿**a la derecha** o **a la izquierda**?
Encima (de)		*Mi casa está **encima del** garaje.*	**Al lado (de)**		
Dentro (de)		*La botella está **dentro de** la nevera.*	**Enfrente (de)**		**Enfrente** de mi casa hay una farmacia. Para ir solo tengo que cruzar la calle.
Fuera (de)		*La botella está **fuera de** la nevera.*			

Para indicar distancia

Cerca (de)		*Mi casa está **cerca del** parque.*	**Lejos (de)**		*Mi casa está **lejos del** parque.*

USO

1. Se utilizan con la preposición *de* + sustantivo cuando señalamos el lugar de referencia.
*El libro está **encima de** la mesa.*

2. No se utilizan con la preposición *de* + sustantivo cuando ya sabemos el lugar de referencia.
● *¿El libro está encima de la mesa?*
○ *Sí, a la izquierda (~~de la mesa~~).*

Ejercicios

1. ¿Dónde están las gafas?
Observa las fotos y completa con las palabras y expresiones siguientes.

a la derecha de	debajo de	delante de

encima de	detrás de	entre

0. *Las gafas están delante del periódico.*

1. ....

2. ....

3. ....

4. ....

5. ....

Aciertos: .... **de 5**

2. Test de locuciones de lugar.
Marca la forma correcta.

0. Voy en tren a la oficina porque vivo ....   ☑ lejos   ☐ cerca

1. En España, escribimos el número .... del nombre de las calles.   ☐ delante   ☐ detrás

2. Hay un restaurante chino en la planta baja y .... hay una academia, en el primer piso.   ☐ encima   ☐ debajo

3. Los garajes normalmente están .... de las casas.   ☐ encima   ☐ debajo

4. La mantequilla debe estar .... de la nevera.   ☐ dentro   ☐ fuera

5. Portugal está a la .... de España.   ☐ derecha   ☐ izquierda

6. .... de los hospitales siempre hay una farmacia.   ☐ Lejos   ☐ Cerca

7. .... de mi casa hay un supermercado.   ☐ Enfrente   ☐ Entre

8. No tengo dinero. Hay un cajero automático aquí .... Vuelvo en un minuto.   ☐ lejos   ☐ al lado

Aciertos: .... **de 8**

3. Indica lo contrario.
Completa las respuestas.

0. ● ¿Los servicios están al final del pasillo a la derecha?
   ○ No, a la *izquierda* .

1. ● ¿Cerca de tu casa hay metro?
   ○ No, el metro está muy .... de mi casa.

2. ● ¿El jardín está delante de tu casa?
   ○ No, está ....

3. ● ¿La fruta está dentro de la nevera?
   ○ No, está ....

4. ● ¿El garaje está encima del edificio?
   ○ No, está ....

5. ● ¿Hay una panadería dentro del centro comercial?
   ○ No, la panadería está ....

6. ● ¿La piscina está lejos de tu casa?
   ○ No, la piscina está ....

7. ● ¿Dónde está el paraguas? ¿Encima de la mesa?
   ○ No, el paraguas está ....

8. ● ¿Dónde está la biblioteca? ¿A la izquierda del salón de actos?
   ○ No, ...

9. ● ¿Dónde ponemos el árbol de Navidad? ¿Delante de tu casa?
   ○ No, lo ponemos ...., en el jardín.

Aciertos: .... **de 9**

4. ¿Dónde está?
Completa con una de las expresiones.

cerca	dentro	enfrente
detrás	entre	al lado	izquierda	delante

0. En la cola del cine, el señor está delante de la señora y la señora está ...... *detrás* ....

1. La estatua está a la derecha de la entrada del parque y la entrada está a la .... de la estatua.

2. Esta glorieta está .... cuatro calles.

3. Tengo muchos libros .... de la cartera. ¿Los saco?

4. El coche negro está aparcado detrás del camión, y el mío está .... del camión.

5. Mi amigo vive lejos del centro y yo vivo muy ....

6. Mi casa está muy cerca del parque, está ....

7. Justo .... de la carnicería, al otro lado de la carretera, hay una pescadería.

Aciertos: .... **de 7**

5. ¿Con o sin *de*?
Subraya la respuesta adecuada.

0. Tengo las gafas **dentro / dentro de** la cartera.

1. ¿Por qué dejas la leche **fuera / fuera de** la nevera?

2. La sala está llena. Hay mucha gente **dentro / dentro de**.

3. Los niños juegan **fuera / fuera de** casa.

4. El baño está **lejos / lejos de** la cocina.

5. Siéntate aquí **cerca / cerca de**.

6. A la derecha está el parque y a la **izquierda / la izquierda de**, el río.

7. Mi casa queda **lejos / lejos de** aquí.

8. Es curioso. No dice nada **delante / delante de** los invitados.

9. Se pone **delante / delante de** y no veo nada.

10. **Detrás / Detrás de** hay unos amigos de mis padres.

11. **Enfrente de / Enfrente** la oficina hay una cafetería. Te espero allí.

Aciertos: .... **de**

6. El payaso malabarista.

Escribe dónde está cada globo.

0. ....*Está encima del payaso.*..............
1. ....
2. ....
3. ....
4. ....
5. ....
6. ....
7. ....
8. ....
9. ....

Aciertos: .... **de 9**

TODO OÍDOS. Escucha el diálogo.

22

- Oye, perdona. ¿Sabes dónde está la sala de ordenadores? Es mi primer día de clase y no conozco bien la escuela.
- Claro, está muy **cerca**. ¿Sabes dónde está la cafetería?
- Sí.
- Pues **enfrente de** la cafetería está la sala de ordenadores.
- ¿Y la biblioteca?
- En el segundo piso, justo **encima de** la sala de ordenadores, y **al lado de** la biblioteca está el despacho del director.
- Gracias.
- De nada.

Total de aciertos: .... **de 49**

EVALÚATE

Muy bien ○ Bien ○ Regular ○ Mal ○

Componentes:
Los adverbios de modo

FORMA	USO
Los adverbios en *-mente*.	Para indicar la manera en que se realiza la acción verbal.

¿Has visto la última película de Almodóvar?

No.

Pues está muy **bien** y los actores trabajan **estupendamente**.

FORMA

Adverbios de modo		
Adverbios	**Significado**	**Ejemplo**
Así	De esta manera.	*¿Voy bien vestida **así**?, ¿qué te parece?*
Bien	De manera correcta.	*Tiene tres años, pero ya lee muy **bien**.*
Mal	De manera incorrecta.	*Escribes **mal**, no entiendo tu letra.*
Deprisa	Con rapidez.	*Conduce muy **deprisa** y tiene muchas multas.*
Despacio	Poco a poco, lento.	*Conduce muy **despacio** porque le da miedo la velocidad.*

Formación del adverbio (-mente)	
Adjetivo femenino singular + ***mente*** *rápida* + *mente* = *rápidamente* *suave* + *mente* = *suavemente*	PERO: buena ⟶ bien mala ⟶ mal

USO

1. Expresan cómo sucede un acontecimiento.
*Va a más de 140 km/h. Conduce **deprisa**.*

2. Algunos adverbios tienen la misma forma que los adjetivos.
Alto *(volumen de sonido): Habla **alto**, no te oigo bien.*

3. Van detrás del verbo y delante del adjetivo.
*Fernando siempre va **bien** vestido.*
*Soy **completamente** feliz.*

4. Con dos o más adverbios en *-mente*, solo el último lleva la terminación.
*Hacen los ejercicios rápida y fácil**mente**.*

Ejercicios

1. Adverbios en *-mente*.
Forma adverbios como en el ejemplo.

0.	cierto	*ciertamente*	10.	reciente
1.	simple	....	11.	feliz
2.	tranquilo	....	12.	triste
3.	lento	....	13.	magnífico
4.	difícil	....	14.	tonto
5.	teórico	....	15.	mecánico
6.	rápido	....	16.	extraordinario
7.	fácil	....	17.	real
8.	maravilloso	....	18.	pacífico
9.	cómodo	....	19.	seco

Aciertos: .... **de 19**

2. Uso de los adverbios en *-mente*.
Sustituye las expresiones marcadas por un adverbio terminado en *-mente*.

0. **En realidad** no me gusta el cine de terror.
Realmente no me gusta el cine de terror.
....

1. Recibe a sus padres **con felicidad**.
....

2. Siempre soluciona los problemas **con facilidad**.
....

3. Mi madre cocina **de una manera maravillosa**.
....

4. Aquí todo el mundo hace su trabajo **con rapidez**.
....

5. Estás enfermo, tienes que hacer las cosas **con tranquilidad**.
....

6. Descansa **con comodidad** en el sofá.
....

7. Carmen toca el piano **de una forma extraordinaria**.
....

8. Hablas **de una manera muy seca**.
....

9. Podemos resolver esto **de una forma pacífica**, ¿no?
....

10. Responde a las preguntas **de manera mecánica**.
....

11. **En teoría** no podemos estar aquí.
....

12. Habla con su abuelo **con alegría**.
....

Aciertos: .... **de 12**

3. ¿Adjetivos o adverbios?
Marca la respuesta correcta.

0.	Santiago Hernández es un médico	☐ magníficamente	☑	magnífico
1.	Gana todas las carreras porque corre muy	☐ lento	☐	rápido
2.	Sonia es muy .... con su familia.	☐ egoístamente	☐	egoísta
3.	Quiero explicarte .... y ampliamente los detalles de esta historia.	☐ tranquilamente	☐	tranquila
4.	¿Puede ayudarme? Este pasatiempo es	☐ difícilmente	☐	difícil
5.	¿Te cuento una historia divertida? Es un hecho	☐ realmente	☐	real
6.	Conozco esta ciudad	☐ perfectamente	☐	perfecto
7.	Mi equipo es muy bueno, ganamos .... todos los partidos.	☐ fácilmente	☐	fácil
8.	Margarita responde tranquila y .... a todas las preguntas.	☐ perfecta	☐	perfectamente

Aciertos: .... **de 8**

4. ¿Cómo hace las cosas?
Relaciona.

0. El médico actuó rápidamente	a. y hacer más ruido, porque no oye bien.
1. No entiendo a Jaime	b. porque usa las cosas cuidadosamente.
2. Nunca rompe nada	c. y el enfermo se curó.
3. Mi jefe negocia hábilmente	d. porque escribe magníficamente.
4. Muchas personas conducen mal	e. en cosas que no necesita.
5. Amanda gana todos los concursos literarios	f. porque no habla claramente.
6. Nieves gasta el dinero tontamente	g. y tenemos atascos continuamente.
7. Tienes que golpear la puerta fuertemente	h. y consigue buenos contratos.

Aciertos: .... **de 7**

5. Matizar frases.
Sustituye las expresiones por adverbios en -mente y completa las frases.

0. Esa información es (del todo) ....*totalmente*.... falsa.

1. (Por lo general) .... voy al trabajo en autobús.

2. Mi profesora explica todo (con claridad) ....

3. El asesino se aleja (en silencio) .... del lugar del crimen.

4. Los bomberos apagan (con rapidez) .... los fuegos.

5. La casa está (por completo) .... destruida.

6. El servicio en la línea 6 de metro está (de momento) .... interrumpido.

7. Mi compañera va (con frecuencia) .... al cine, una o dos veces a la semana.

8. Mis hijos son bilingües. Hablan (a la perfección) .... castellano y catalán.

9. Estas pastillas actúan (con eficacia) .... contra la gripe.

Aciertos: .... **de 9**

6. En una palabra.

Sustituye las expresiones entre paréntesis por alguno de los adverbios del recuadro.

posiblemente	únicamente	locamente	efectivamente
amablemente	rápidamente	<u>últimamente</u>	activamente

0. Hago mucho ejercicio (en estas dos semanas) ....*últimamente*.... Necesito estar en forma.

1. Nuria está (con mucha pasión) .... enamorada.

2. (A lo mejor) .... vamos de vacaciones a Cuba.

3. Este ordenador funciona muy mal, (es verdad) ....

4. No tengo suficiente dinero, (solo) .... me quedan unas monedas.

5. Los bomberos siempre llegan (en pocos minutos) .... al lugar del incendio.

6. Participa (con mucha energía) .... en la organización de la fiesta.

7. Mi profesora siempre trata (con mucha cortesía) .... a todos los alumnos.

Aciertos: .... **de 7**

7. Un test: ¿puedes ser tú un buen profesor?

Completa las frases con las palabras del recuadro y realiza el test.

<u>bien</u>	atentamente	estupendamente	rápidamente
completamente	<u>realmente</u>	mecánicamente	

0. Con un buen profesor los alumnos...
   a. aprenden ....*realmente*..... .
   b. se lo pasan ....*bien*........ en clase.
   c. se duermen en clase.

1. Para ser profesor es necesario...
   a. enseñar ....
   b. escuchar .... a los alumnos.
   c. actuar ...., sin emociones.

2. Para ti, ¿qué significa ser profesor?
   a. Estar .... loco.
   b. Aprender y enseñar.
   c. Tener una profesión .... pagada.

Resultados: 0a: 2, 0b: 1, 0c: 0
1a: 1, 1b: 2, 1c: 0
2a: 1, 2b: 2, 2c: 0
Entre 4 y 6 puntos: Entiendes muy bien al profesor.
Entre 2 y 4 puntos: Puedes ser un buen profesor.
Entre 0 y 2: Ser profesor no es lo tuyo.

Aciertos: .... **de 5**

TODO OÍDOS. Escucha el diálogo.

24

Policía: Buenas tardes. Su carné, por favor.
Conductor: ¿Qué pasa, agente?
Policía: Conduce usted muy **deprisa**.
Conductor: Yo nunca conduzco **así**, siempre voy **despacio**. Pero es que quiero llegar **rápidamente** al hospital.
Policía: ¿Qué pasa? ¿Se encuentra mal?
Conductor: No, pero mi mujer está allí. Espera un bebé.
Policía: Bueno, pues adelante, pero **prudentemente**.
Conductor: Muchas gracias.

Total de aciertos: .... **de 67**

EVALÚATE

Muy bien	Bien	Regular	Mal

Componentes:
Los adverbios de cantidad

13

FORMA	USO
Mucho, muy, poco, bastante, suficiente, demasiado.	Para expresar la intensidad o una cantidad.

25

Trabajas **demasiado**.

Sí, tenemos **mucho** trabajo en la oficina.

FORMA

Adverbios de cantidad		
Adverbios	**Significado**	**Ejemplo**
Demasiado	Cantidad excesiva	*Come **demasiado**.*
Mucho / muy	Gran cantidad	*Come **mucho**.*
Suficiente / bastante	Cantidad necesaria	*Come **suficiente**.*
Poco	Cantidad pequeña	*Come **poco**.*

USO

1. Se utilizan para expresar la intensidad. Normalmente van detrás del verbo. Son invariables: no tienen cambio de género (masculino o femenino) ni de número (singular o plural).
*Llevas 10 horas en la oficina. Trabajas **demasiado**.*
*Duerme 10 horas todos los días. Duerme **mucho**.*
*No quiero más, gracias. Ya tengo **bastante**.*
*Estudia **poco** y saca malas notas.*

2. Pueden ir también delante de adjetivos y adverbios.
*Es **demasiado** tímido. Conduce **demasiado** deprisa.*
*Es un paisaje **muy** bonito. Escribe **muy** mal, no entiendo la letra.*
*Son **bastante** viejos. El ejercicio está **bastante** bien.*
*Es **poco** inteligente. Vive un **poco** lejos.*

3. Pueden ir delante de sustantivos para expresar una cantidad. Concuerdan en género (masculino o femenino) y número (singular o plural) con el sustantivo al que acompañan.
demasiado, a, os, as
*Haces **demasiadas** llamadas. Hace **demasiado** calor.*
mucho, a, os, as
*Tengo **muchas** fotos. Necesito **mucho** dinero.*
bastante, es / suficiente, es
*¿Hay **suficientes** sillas para todos? ¿Tomas **bastante** leche?*
poco, a, os, as
*Quiero **poca** sopa. Quedan **pocas** horas.*

Muy y mucho:
Muy es invariable y se utiliza delante de adjetivos y adverbios. *Mucho*, como formal invariable, va detrás de verbos; como forma variable (*mucho, mucha, muchos, muchas*) va con sustantivos y concuerda con ellos.
*Es **muy** listo. Anda **muy** deprisa.*
*Come **mucho**. Tengo **muchas** amigas.*

Poco y un poco:
1. Los dos indican cantidad pequeña, pero con *poco* damos importancia a lo que no hay, a lo que falta, y con *un poco (de)* damos importancia a lo que sí hay, a lo que se tiene.
*Queda **poco** pan. No hay suficiente para todos.*
*Todavía queda **un poco de** pan. Podemos compartirlo.*

2. *Poco* se utiliza con cualquier sustantivo y concuerda con él en género y número. *Un poco de* se utiliza solo con sustantivos no contables y es invariable.
*Hay poco pan. Hay **un poco de** pan.*
Tengo pocas monedas. ~~Tengo un poco de monedas~~.

3. Se utilizan también delante de un adjetivo o de un adverbio y detrás de un verbo. En este caso los dos son invariables.
*Estoy **poco** cansada. Estoy **un poco** cansada.*
*El centro está **poco** lejos. El centro está **un poco** lejos.*
*Me gusta **poco** el jazz. Me gusta **un poco** el jazz.*

Ejercicios

1. El adverbio adecuado.
Subraya la opción correcta.

0. Hay **demasiado / demasiada** gente y no veo bien.
1. El ambiente es **mucho / bastante** ruidoso y no se oye.
2. Tengo **demasiadas / bastante** ocupaciones y no me queda tiempo libre.
3. Este coche tiene ya **bastantes / demasiado** kilómetros.
4. Es **poco / demasiado** tarde. Me voy a casa.
5. No hay **bastante / mucho** comida para todos.
6. Los actores de la película son **poco / pocos** conocidos.
7. Este hotel es **demasiado / mucho** caro para mí.
8. No me gusta **mucho / mucha** esta novela.
9. Hay **muchos / demasiadas** personas en el autobús.

Aciertos: .... **de 9**

2. Con o sin sustantivos.
Completa con la forma adecuada.

0. Hay (demasiado) ...*demasiadas*.... personas en la sala y no veo al conferenciante.
1. Durante la semana me queda (poco) .... tiempo libre.
2. Estudia (mucho) .... horas al día y está muy cansado.
3. Esta chica está (demasiado) .... desanimada con el trabajo.
4. Compra (demasiado) .... fruta y luego se estropea.
5. Hay (mucho) .... personas en el supermercado.
6. Come (poco) .... carne y (demasiado) .... pescado.
7. Siento (mucho) .... no poder ir a verte.
8. María anda (poco) .... y está muy gorda.
9. Llegan (bastante) .... personas para ver el espectáculo.
10. No tengo (mucho) .... fuerza para seguir con este trabajo.

Aciertos: .... **de 11**

3. La concordancia con el sustantivo.
Completa los diálogos como en el ejemplo.

0. ● ¿Hay galletas para los niños?
   ○ Sí, hay (mucho) ...*muchas*... galletas, tranquila.

1. ● ¿Tienes frío?
   ○ Sí, (mucho) .... frío. Necesito un abrigo.

2. ● ¿Hay mucha gente en la panadería?
   ○ No, no hay (demasiado) .... gente.

3. ● ¿Compro fruta?
   ○ Vale. Quedan (poco) .... manzanas.

4. ● No encuentro sitio para aparcar.
   ○ Es que en este barrio hay (demasiado) .... coches.

5. ● En este hospital hay pocas enfermeras.
   ○ Pero hay (bastante) .... médicos, ¿no?

6. ● ¿Recibes muchas cartas?
   ○ No, recibo (poco) .... cartas, pero (mucho) .... correos electrónicos.

Aciertos: .... **de 7**

4. Test de adverbios.
Marca la forma correcta.

0. Estos niños son .... ruidosos.   ☑ demasiado   ☐ demasiados   ☐ mucho

1. Vivimos .... lejos de aquí.   ☐ bastantes   ☐ bastante   ☐ poco

2. Amalia quiere .... a sus hijas.   ☐ muchos   ☐ mucho   ☐ muchas

3. Estos alumnos hablan ...., ¿verdad?   ☐ pocos   ☐ bastantes   ☐ demasiado

4. Tiene vacaciones .... días al año.   ☐ poco   ☐ mucha   ☐ muchos

5. Nos gustan .... las patatas fritas.   ☐ mucho   ☐ pocas   ☐ muchas

6. Es .... pronto para cenar, ¿no?   ☐ poco   ☐ un poco   ☐ mucho

7. En esta pared hay .... cuadros.   ☐ suficiente   ☐ mucho   ☐ demasiados

Aciertos: .... **de 7**

5. *Poco, suficiente* o *demasiado* en el género y número correctos.
Completa los diálogos.

0. ● Esta clase es para veinticinco alumnos. Hoy hay treinta y siete.
   ○ Entonces hay ...*demasiados*.... alumnos.

1. En las autopistas el límite de velocidad es de 120 km por hora. Y tú vas a 150.
   Corres ....

2. ● ¿Cuántas camas libres hay en este hospital?
   ○ Dieciocho.

   ● Venimos con quince heridos. Entonces hay .... camas.

3. ● ¿Cuánto vale el taxi hasta casa?
   ○ Unos 20 euros.

   ● Pues solo me quedan 12. No tengo .... dinero.

4. ● Estoy gordo.
   ○ Es que comes .... y haces .... ejercicio físico.

5. ● Vienen veintitrés niños al cumpleaños de Juanito.
   ○ Pues tenemos .... bocadillos. Hay veinticinco.

6. ● ¿Por qué nunca apruebas Matemáticas?
   ○ Es que estudio ....

7. ● ¿Puedes escribir treinta cartas en cinco minutos?
   ○ Claro que no. Eso es .... tiempo.

8. ● ¿Cuántas personas caben en este ascensor?
   ○ Ocho.

   ● Pues somos doce. Es .... gente.

Aciertos: .... **de**

6. Todo cambia con *poco / un poco de.*
Relaciona las frases.

0. **1.** El televisor está un poco alto.

2. El televisor está poco alto.

a. El televisor no se oye bien.

b. El volumen del televisor puede molestar.

1. **1.** Tiene poco dinero ahorrado para comprarse un coche nuevo.

2. Tiene un poco de dinero ahorrado para comprarse un coche nuevo.

a. Probablemente se puede comprar el coche.

b. Probablemente no se puede comprar el coche.

2. **1.** Hace un poco de calor.

2. Hace poco calor.

a. Se van a bañar en la piscina.

b. No se van a bañar en la piscina.

3. **1.** Hay poca luz.

2. Hay un poco de luz.

a. No puedo leer nada.

b. Puedo leer algo.

4. **1.** El profesor habla un poco rápido.

2. El profesor habla poco rápido.

a. Los alumnos le pueden entender con facilidad.

b. Los alumnos no le pueden entender bien.

5. **1.** Siempre tiene poco tiempo para hablar con sus alumnos.

2. Siempre tiene un poco de tiempo para hablar con sus alumnos.

a. No habla mucho con ellos.

b. Habla con ellos cuando puede.

Aciertos: .... **de 5**

TODO OÍDOS. Escucha el diálogo.

26

■ Buenos días. ¿Qué le pasa?

● Doctor, últimamente estoy **muy** cansada, me duele **mucho** la cabeza. Todas las tardes tengo **un poco de** fiebre y por las noches no duermo **suficiente**.

■ Bueno, primero tiene que hacerse un análisis de sangre. ¿Hace **mucho** tiempo que no se hace uno?

● Sí, **muchos** años.

■ No pasa nada. Seguro que es **un poco de** estrés.

Total de aciertos: .... **de 48**

EVALÚATE

Muy bien   Bien   Regular   Mal

Componentes:

Estar + gerundio

14

FORMA	USO
El gerundio.	Para expresar acciones en progreso.

Hola, Jaime. ¿Dónde estás?

Estoy en el supermercado. **Estoy comprando** la cena para esta noche.

FORMA

Regla general:

El gerundio termina en *-ando* o en *-iendo*.

Formación del gerundio regular		
verbos terminados en:	**terminación**	
-ar	-ando	**Hablar:** hablando
-er	-iendo	**Beber:** bebiendo
-ir		**Vivir:** viviendo

Observaciones:

Con los verbos *llamarse, lavarse, irse,* etc., los pronombres *me, te, se, nos, os* y *se* pueden ir delante de *estar* o detrás del gerundio.

Me estoy lavando.
Estoy lavándome.

Formación del gerundio irregular		
E > I	**O > U**	**raíz + yendo**
Decir: diciendo **Reír:** riendo **Pedir:** pidiendo **Sentir:** sintiendo **Venir:** viniendo	**Morir:** muriendo **Poder:** pudiendo **Dormir:** durmiendo	En los verbos *-er* o *-ir*, si la raíz termina en vocal: **Ca(er):** cayendo **Conclu(ir):** concluyendo **Hu(ir):** huyendo **Le(er):** leyendo **O(ír):** oyendo **Tra(er):** trayendo Un caso especial: *ir*: yendo

USO

1. Expresa lo que está ocurriendo en el momento de hablar.
- ¿Qué haces?
- *Estoy escuchando* música.

2. Expresa la acción en su proceso con expresiones de tiempo como *hoy, esta mañana, este mes...*
Este curso **estoy aprendiendo** mucho.

Contraste presente de indicativo y *estar* + gerundio	
Presente de indicativo	***Estar* + gerundio**
Expresa una acción habitual. *Desayuno a la ocho.*	Expresa una acción que ocurre en este momento. *Estoy desayunando.*
Expresa una información general. *En Andalucía, en verano,* **hace** *mucho calor.*	Expresa una acción en su proceso, es decir, una acción que ha empezado en el pasado y llega hasta el presente con expresiones de tiempo como *últimamente, hoy, esta mañana, este mes...* *En Andalucía este verano* **está haciendo** *mucho calor.* (El verano continúa)

Ejercicios

1. La forma del gerundio.
Escribe el gerundio.

0. cantar ....*cantando*.... **5.** ver .... **10.** ir ....

1. trabajar .... **6.** hacer .... **11.** ser ....

2. vivir .... **7.** venir .... **12.** escuchar ....

3. saber .... **8.** poner .... **13.** subir ....

4. dar .... **9.** salir .... **14.** decir ....

Aciertos: .... **de 14**

2. *Estar* + gerundio.
Transforma las frases.

0. Los chicos juegan al fútbol. *Los chicos están jugando al fútbol.*

1. Pedro bebe un vaso de leche. ....

2. Mis padres comen en casa. ....

3. El tren llega a la estación. ....

4. Paseo por el parque. ....

5. Se ducha con agua fría. ....

6. Hablan por teléfono. ....

7. María escribe correos electrónicos. ....

Aciertos: .... **de 7**

3. ¿Qué está ocurriendo ahora?
Completa con *estar* + gerundio.

0. Este invierno no ....*está haciendo*.... (hacer) mucho frío.

1. Pedro .... (abrir) la tienda.

2. María .... (comer) en un restaurante.

3. Esta semana Andrés .... (trabajar) en una empresa de transportes.

4. Ahora en Canarias .... (hacer) bastante calor.

5. No quiero hablar, ... (escuchar) música.

6. .... (Ver - yo) un partido de tenis en la tele.

7. .... (Pensar - nosotros) en comprar un piso nuevo.

Aciertos: .... **de 7**

4. Preguntas y respuestas.
Relaciona la pregunta con la respuesta.

0. ¿Qué haces con esos globos? **a.** Está jugando en el patio.

1. ¿Dónde está tu hermano? **b.** Estoy preparando mi fiesta de cumpleaños.

2. ¿Qué día hace hoy? **c.** Estoy escribiendo una novela.

3. ¿Qué comes? **d.** Fatal. Está lloviendo mucho.

4. Y tu madre, ¿no está con vosotros? **e.** No estoy comiendo, tengo un chicle en la boca.

5. ¿A qué te dedicas? **f.** Sí, está haciendo una paella en la cocina.

Aciertos: .... **de 5**

5. ¿Qué estás haciendo?

Elige el verbo adecuado y completa con *estar* + gerundio.

ver   abrir   afeitarse   estudiar   <u>beber</u>   conducir   hablar   escuchar   pintar   escribir

0. *Estoy bebiendo* un zumo de naranja.

1. .... la tele.

2. .... para el examen de mañana.

3. .... un diario personal.

4. .... la barba.

5. .... un cuadro.

6. .... la ventana.

7. .... por teléfono con mi novio.

8. .... mi coche nuevo.

9. .... una canción de Ricky Martin.

Aciertos: .... de 9

6. En orden.

Forma las frases como en el ejemplo.

0. el coche / lavar / mi hijo
Mi hijo está lavando el coche.

1. tomar / (nosotros) / un café con leche
....

2. a través de Internet / los alumnos / conversar
....

3. abrir / la tienda / Fátima
....

4. (yo) / en el supermercado / comprar
....

5. los alumnos / de clase / salir
....

6. Luis / una foto / hacer
....

7. en el sofá / el gato / dormir
....

8. las escaleras / subir / la directora
....

9. los cuentos / los niños / leer
....

Aciertos: .... de

7. Lola llega a una fiesta.

Completa el diálogo con los verbos del recuadro.

EDUARDO: Lola, ¿.$_0$.*conoces*.... a Hans? Es un amigo alemán.

LOLA: Encantada.

HANS: Mucho gusto.

LOLA: ¿Llevas mucho tiempo en España?

HANS: Seis meses.

LOLA: ¿Qué .$_1$................. en Madrid?

HANS: .$_2$................. en una empresa alemana. Mira, están preparando sangría, ¿.$_3$................. un vaso?

LOLA: No gracias, no .$_4$................. alcohol.

HANS: Este invierno .$_5$................. mucho en Madrid. ¿Es normal?

LOLA: No, en Madrid no .$_6$................. mucho en invierno.

HANS: Oye, allí está mi profesor de español. .$_7$................. con Eduardo. ¿Lo conoces?

LOLA: No.

HANS: Es muy simpático. ¿Te lo .$_8$.................?

LOLA: Claro.

estoy trabajando   **quieres**
lleve   **bebo**   **está hablando**
<u>**conoces**</u>   **presento**
está lloviendo   **estás haciendo**

Aciertos: .... de

8. Excusas.

Completa con presente o con *estar* + gerundio.

0. ● ¿Me ....*ayudas*........ (ayudar - tú) a preparar la cena?

   ○ Lo siento, no ....*puedo*.......... (poder - yo), *estoy terminando* (terminar - yo) un informe para mañana.

1. ● Niños, ¿me .... (acompañar - vosotros) al supermercado?

   ○ Ahora no. .... (Ver - nosotros) un partido de fútbol en la tele.

2. ● ¿............................ (Venir - tú) al cine con nosotros?

   ○ .... (Preferir - yo) quedarme en casa. .... (Esperar - yo) una llamada de teléfono muy importante.

3. ● ¿ .... (Jugar - nosotros) un partido de tenis?

   ○ No, lo .... (sentir - yo). .... (Estudiar - yo). Mañana .... (tener - yo) un examen.

Aciertos: .... **de 9**

9. En campaña electoral.

Completa con gerundios.

Otras campañas electorales hablan del futuro, la nuestra habla del presente.
¿QUÉ ESTAMOS ...*haciendo*... (HACER) POR NUESTRA CIUDAD?

Estamos .... (construir) nuevos hospitales.
Estamos .... (abrir) nuevos centros escolares.
Estamos .... (crear) puestos de trabajo.
Estamos .... (ayudar) a la pequeña empresa.
Estamos .... (ampliar) la red de metro.
Estamos .... (mejorar) el tráfico.
Estamos .... (proteger) el medio ambiente.
Estamos .... (plantar) árboles por toda la ciudad.

¿Y TÚ? ¿QUÉ ESTÁS .... (HACER)?

Aciertos: .... **de 9**

TODO OÍDOS. Escucha el diálogo.

Madre: Hola, Pablo.
Pablo: Hola, mamá.
Madre: ¿Dónde está papá?
Pablo: Está en la cocina. **Está preparando** la cena.
Madre: ¿Por qué no le ayudas?
Pablo: Es que **estoy estudiando**, mañana tengo un examen.

Total de aciertos: .... **de 77**

EVALÚATE

| Muy bien | Bien | Regular | Mal |

Componentes:
Ir a y acabar de

15

FORMA	USO
Ir a + infinitivo. *acabar de* + infinitivo.	Para expresar futuro y acciones inmediatamente pasadas.

¿Qué **van a tomar** los señores?

Yo, una paella.

Y yo, cordero asado con ensalada.

FORMA

Sujeto	Ir		Acabar	
yo	voy		acabo	
tú	vas		acabas	
él, ella, usted	va	**a** + infinitivo	acaba	**de** + infinitivo
nosotros, nosotras	vamos		acabamos	
vosotros, vosotras	vais		acabáis	
ellos, ellas, ustedes	van		acaban	

USO

Ir a + infinitivo:

1. Expresa la intención de hacer algo en el futuro.
● *¿Qué **vas a hacer** esta tarde?*
○ ***Voy a ir** al cine.*

2. Expresar una acción futura inmediata como resultado lógico del presente.
*Tengo calor, **voy a poner** el aire acondicionado.*

Acabar de + infinitivo:

Expresa una acción inmediatamente pasada.
● *¿Quieres un café?*
○ *No, gracias. **Acabo de tomar** uno.*

Ejercicios

1. *Ir a* + infinitivo.
Transforma las frases.

0. Tengo sueño y **acostarse**. ....*Tengo sueño y voy a acostarme.*....

1. **Llamar** (él) por teléfono a sus padres. ....

2. Llueve mucho y **coger** (ellos) el paraguas. ....

3. **Empezar** la conferencia. ....

4. Me duele el estómago y **tomar** algo. ....

5. ¿**Ir** de vacaciones (vosotros)? ....

6. El coche no funciona y **llamar** al mecánico (él). ....

7. Tenemos un examen y **estudiar** toda la noche. ....

8. Esta tarde Juan **jugar** al tenis. ....

9. ¿**Limpiar** tú sola toda la casa? ....

Aciertos: .... **de 9**

2. Por lógica.
Completa las frases con los verbos del recuadro.
Utiliza *ir a* + infinitivo, como en el ejemplo.

abrir	acostarse	beber
comer	ir	ponerse
	sentarse	

0. Tengo calor. ......*Voy a abrir*...... la ventana.

1. Tengo sueño. .... pronto.

2. Tengo hambre. .... un bocadillo.

3. Tengo sed. .... una limonada.

4. Tengo frío. .... un abrigo.

5. Estoy cansada. .... en el sofá.

6. Estoy enfermo. .... al médico.

Aciertos: .... **de 6**

3. Las intenciones.
Completa las frases con *ir a* + infinitivo.

0. ● ¿Dónde vais?
   ○ ......*Vamos a comer*........ (Comer - nosotros) en un restaurante chino.

1. ● ¿Cuánto son 45 + 132?
   ○ No sé. .... (Buscar - yo) una calculadora.

2. ● ¿Qué pone en ese papel?
   ○ No sé. .... (Ponerse - yo) las gafas.

3. ● ¿Dónde está el hospital?
   ○ No sé. .... (Preguntar - nosotras) a ese policía.

4. ● ¿ .... (Bajar - usted) en la próxima parada?
   ○ No.

5. ● ¿Qué hacen Luis y Pedro?
   ○ .... (Preparar) la cena.

Aciertos: .... **de 5**

Ejercicios

4. *Acabar de* + infinitivo.

Transforma las frases.

0. Llaman a tu hermana por teléfono.   *Acaban de llamar a tu hermana por teléfono.*

1. El policía entra en el banco. ....

2. Comemos una paella de pollo. ....

3. Se va con sus amigos. ....

4. Escribo un correo electrónico. ....

5. ¿Salís de clase ahora? ....

6. Explican su biografía. ....

7. ¿Llegas a casa ahora? ....

Aciertos: .... **de 7**

5. *¿Acabar de* o *ir a*?

Completa las frases.

0. ¿Qué ......*vas a*...... hacer el mes que viene (tú)?

1. ¿Qué .... estudiar el año próximo (él)?

2. Ya no funciona el ordenador. .... estropearse.

3. No hay luz en toda la casa. .... irse.

4. ¿Qué .... hacer después del instituto (vosotros)?

5. Está en el hospital. .... tener un pequeño accidente.

6. Tengo hambre. .... comer algo.

Aciertos: .... **de 6**

6. Usos de las perífrasis.

Observa y clasifica las frases de los diálogos.

0. ● ¿Vienes a jugar al fútbol con nosotros?

   ○ No. Me duele mucho la cabeza, **voy a tomarme** una aspirina.

1. ● Después de clase **voy a ir** al cine. ¿Quieres venir tú también?

   ○ Vale. Te espero a la salida de clase.

2. ● Esta tarde **voy a comprar** la entrada para el concierto.
   ¿Te compro una?

   ○ Sí, gracias. Mañana te la pago.

3. ● Hace mucho frío. **Voy a poner** la calefacción.

   ○ Sí, yo también tengo mucho frío.

Expresar intención de hacer algo en el futuro	Expresar una acción futura inmediata como resultado del presente
	Voy a tomarme una aspirina.

Aciertos: .... **de**

7. **Estas acciones son consecuencia inmediata de las circunstancias del presente.**
Relaciona y completa.

0. Tengo sueño.

1. El coche de mi padre está muy viejo.

2. Mañana tienen un examen.

3. Tenemos hambre.

4. Está lloviendo mucho.

5. El niño tiene frío.

6. Estoy muy cansada.

7. La sopa está fría.

a. .... comprarse uno nuevo (él).

b. .... preparar la cena (nosotros).

c. .... ponerle el abrigo (yo).

d. ....*Voy a*.... acostarme (yo).

e. .... tomar el paraguas (nosotros).

f. .... calentarla (ella).

g. .... a estudiar todo el día (ellos).

h. .... a descansar unos minutos (yo).

Aciertos: .... **de 7**

8. **Excursión Fin de Curso a Segovia.**
Lee el programa de la excursión. Haz preguntas y contesta como en el ejemplo.

Idiomas Globo

Excursión Fin de Curso a Segovia

9.00 Salida en autobús desde la escuela.

10.15 Llegada a Segovia.

10.30 Visita al Alcázar.

11.30 Paseo hasta el Acueducto.

12.30 Visita a la Catedral.

13.30 Comida en un restaurante típico.

15.30 Tiempo libre.

17.00 Recorrido por las iglesias románicas más representativas.

19.00 Regreso a Madrid.

0. Destino de la excursión. *¿Dónde van a ir de excursión?* *A Segovia.*

1. Medio de transporte. ....

2. Hora de llegada a Segovia. ....

3. Visitas por la mañana. ....

4. Lugar de la comida. ....

5. Hora de la comida. ....

6. Visitas por la tarde. ....

7. Hora de regreso. ....

Aciertos: .... **de 7**

TODO OÍDOS. Escucha el diálogo.

30

■ ¿Por qué estás tan contento?

● **¡Acabo de empezar** las vacaciones!

■ ¿Qué planes tienes?

● **Voy a ir** con mi novia y con unos amigos a Ibiza.

■ ¿A un hotel?

● No, **vamos a estar** en un apartamento.

Total de aciertos: .... **de 50**

EVALÚATE

| Muy bien | Bien | Regular | Mal |

Componentes:

Las perífrasis de obligación, prohibición y posibilidad

16

FORMA	USO
Tener que, hay que, poder y *deber* + infinitivo.	Para expresar la obligación, la prohibición, la necesidad, la posibilidad o el permiso.

Lo siento, señor, en este restaurante **no se puede** fumar. **Tiene que salir** a la calle.

Bueno, **puedo esperar**.

FORMA

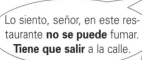

	Tener	Haber		Deber	Poder	
yo	tengo			debo	puedo	
tú	tienes			debes	puedes	
él, ella, usted	tiene	hay	que + infinitivo	debe	puede	+ infinitivo
nosotros, nosotras	tenemos			debemos	podemos	
vosotros, vosotras	tenéis			debéis	podéis	
ellos, ellas, ustedes	tienen			deben	pueden	

USO

Tener que, deber y hay que + infinitivo:

1. Expresan la obligación o la necesidad de hacer algo.
*Me **tengo que** levantar todos los días a las seis de la mañana.*

2. *Hay que* es una expresión invariable y se utiliza para expresar una obligación o una necesidad de forma impersonal.
*En la biblioteca **hay que** hablar bajo. (Es obligatorio)*
*Al cruzar la calle **hay que** tener mucho cuidado. (Es necesario)*

3. *Tener que* y *deber* expresan una obligación o una necesidad del sujeto.
***Tienes que** volver antes de las 10. (Es obligatorio)*
*Hoy no **tienes que** trabajar. (No es necesario)*
*Con el semáforo rojo **debes** parar. (Es obligatorio)*
***Debéis** comer más verduras. (Es necesario o aconsejable)*

Poder + infinitivo:

1. Expresa el permiso o la posibilidad (si es afirmativo) y la prohibición o la imposibilidad (si es negativo) del sujeto.
- *¿**Puedo** pasar? (Permiso)*
- *Sí, pero no **puedes** hablar. (Prohibición)*

2. Para expresar un permiso o una prohibición de forma impersonal se utiliza precedido de SE y con el verbo *poder* en tercera persona del singular.
*En los hospitales no **se puede** hablar muy alto.*

1. *Deber* y *tener que* + infinitivo.
Sustituye la perífrasis como en el modelo.

0. Debes conducir más despacio. ...... *Tienes que conducir más despacio.*
1. Debéis llevar corbata a la fiesta. ....
2. Debemos hacer más deporte. ....
3. Debo trabajar un poco más deprisa. ....
4. Deben pagar la factura de la electricidad. ....
5. Debemos corregir nuestros errores. ....
6. Debes pasar este texto al ordenador. ....
7. Debéis cerrar los ojos. ....

Aciertos: .... de 7

2. *Hay que* y *tener que* + infinitivo.
Subraya la perífrasis más adecuada.

0. ¿Estás cansado? Entonces **tienes que** / **hay** que dormir.
1. No puedo salir. **Tengo que** / **Hay que** estudiar mucho.
2. En un incendio **tiene que** / **hay que** llamar a los bomberos.
3. No puedo acompañarte, **tengo que** / **hay que** quedarme con mis hermanos.
4. Perdona, me **tengo que** / **hay que** ir.
5. Para viajar a Chile **tiene que** / **hay que** llevar un visado.
6. Te veo mal de salud. **Tienes que** / **Hay que** ir al médico.
7. Para estar bien de salud **tiene que** / **hay que** comer mucha fruta y mucha verdura.

Aciertos: .... de 7

3. Test de perífrasis de obligación y necesidad.
Marca la respuesta correcta.

0. .... el coche al taller. ¿Quién lo lleva?
   ☐ Tienes que llevar   ☑ Hay que llevar
1. Voy a hablar con Silvia y contárselo todo. .... la verdad.
   ☐ Tiene que saber   ☐ Hay que saber
2. Estáis invitados. No .... traer nada.
   ☐ tenéis que   ☐ hay que
3. .... al perro a pasear. ¿Quién lo hace hoy, tú o yo?
   ☐ Tienes que sacar   ☐ Hay que sacar
4. Para hacer una buena tortilla de patatas .... varios huevos.
   ☐ tienes que poner   ☐ hay que poner
5. En verano .... mucha agua.
   ☐ tenemos que beber   ☐ hay que beber
6. No .... el examen. Ya estáis aprobados.
   ☐ tenéis que hacer   ☐ hay que hacer

Aciertos: .... de 6

4. ¿*Se puede* o *no se puede*?
Completa las frases.

0. Por la ciudad ....*no se puede*........ circular a más de 50 km/h. Es peligroso.

1. Por aquí .... pasar. Está prohibido.

2. En los hospitales .... hablar alto, molesta a los enfermos.

3. ● ¿En esta zona .... hacer una barbacoa?

   ○ Sí, claro.

4. Este ordenador .... utilizar libremente. Es para todos.

5. Con este teléfono .... llamar. No funciona.

6. ● Perdón, ¿................................. entrar ya?

   ○ Sí, adelante.

7. Este libro .... sacar de la biblioteca. Es solo para consultarlo aquí.

Aciertos: .... **de 7**

5. ¿*Poder* o *tener que* + infinitivo?
Elige la opción más adecuada.

0. Buenas tardes. Llegamos un poco tarde, pero ¿........................... pasar, por favor?
   - ☑ podemos
   - ☐ tenemos que

1. Queda poca gasolina en el coche, pero no .... echarle más porque no tengo dinero.
   - ☐ puedo
   - ☐ tengo que

2. Es una fiesta de amigos, no .... llevar traje y corbata.
   - ☐ puedes
   - ☐ tienes que

3. Lo siento, aquí no .... aparcar, está prohibido.
   - ☐ pueden
   - ☐ tienen que

4. Hay un accidente en la carretera y .... llamar a la policía. ¿Hay teléfono aquí?
   - ☐ puedo
   - ☐ tengo que

5. Si queréis, ... utilizar mi ordenador, ahora no lo uso.
   - ☐ podéis
   - ☐ tenéis que

Aciertos: .... **de**

6. En la consulta del médico.
Relaciona el problema con el consejo del médico.

0. Me duele la cabeza.　　　　a. Tiene que hacer un régimen de 1.500 calorías.

1. Me canso mucho.　　　　　b. Puede ponerse esta crema después de la ducha.

2. Estoy muy gordo.　　　　　c. Tiene que tomarse una aspirina.

3. Tengo la piel muy seca.　　d. Debe suprimir los cafés de la tarde.

4. Me duele la espalda.　　　　e. Tiene que hacer gimnasia. Puede hacerla antes de acostarse.

5. Duermo muy mal por las noches.　　f. Tiene que tomar vitamina B. Puede tomarla con el desayuno.

Aciertos: .... **de**

7. Para cada situación, hay una opción.

Elige la más adecuada.

0. ● ¿Vienes a ver la exposición de Dalí?
   ○ Lo siento, es que...
   - ☐ a. hay que ir al dentista.
   - ☐ b. puedo ir al dentista.
   - ☑ c. tengo que ir al dentista.

1. ● En invierno, las carreteras con nieve son muy peligrosas.
   ○ Sí,...
   - ☐ a. hay que conducir con mucho cuidado.
   - ☐ b. puedo conducir con mucho cuidado.
   - ☐ c. tengo que conducir con mucho cuidado.

2. ● Mañana es el cumpleaños de mamá.
   ○ Sí, pero no tenemos dinero.
   ● Entonces...
   - ☐ a. no hay que comprarle un regalo.
   - ☐ b. no podemos comprarle un regalo.
   - ☐ c. no tenemos que comprarle un regalo.

3. ● Siempre hago muy mal los exámenes.
   ○ Claro, es que estudias muy poco.
   - ☐ a. Hay que estudiar más.
   - ☐ b. Puedes estudiar más.
   - ☐ c. Tienes que estudiar más.

Aciertos: .... de 3

8. Las señales de tráfico.

Elige un verbo del recuadro y escribe perífrasis con *hay que* o *(no) se puede* debajo de cada señal.

| aparcar girar (2) <u>dejar pasar</u> pararse correr ponerse encender |
| adelantar ir (2) pasar |

Hay que dejar pasar.

2. .... las luces.

1. .... el cinturón.

4. ....

5. .... a la derecha.

.... en bicicleta.

7. .... a más de 40 km/h.

8. ....

9. ....

10. .... en bicicleta.

11. ....

Aciertos: .... de 11

TODO OÍDOS. Escucha el diálogo.

32

- Últimamente fumo mucho, quiero dejar de fumar, pero no sé cómo.
- ● Para dejar de fumar, primero **hay que proponérselo** seriamente.
- ● ¿Y después?
- Después, **tienes que elegir** un día concreto. Antes de ese día, **puedes leer** ese libro de autoayuda para dejar de fumar.

Total de aciertos: .... de 51

EVALÚATE

Muy bien   Bien   Regular   Mal

Componentes:
Las perífrasis con *empezar, volver* y *seguir*

17

33

FORMA	USO
Empezar a y *volver a* + infinitivo, y *seguir* + gerundio.	Para expresar el inicio, la repetición o la continuación de una acción.

¿**Sigues trabajando** en la misma empresa?

¿Ah, sí? Pues mañana por la noche te **vuelvo a llamar** y me cuentas.

No. Mañana **empiezo a trabajar** en una agencia de viajes.

FORMA

	Empezar	Volver		Seguir	
yo	empiezo	vuelvo		sigo	
tú	empiezas	vuelves		sigues	
él, ella, usted	empieza	vuelve	**a** + infinitivo	sigue	+ gerundio
nosotros, nosotras	empezamos	volvemos		seguimos	
vosotros, vosotras	empezáis	volvéis		seguís	
ellos, ellas, ustedes	empiezan	vuelven		siguen	

USO

Empezar a + infinitivo:
Se utiliza para expresar el inicio de una acción.
*Empezamos a **leer** el texto ahora.*

Volver a + infinitivo:
Se utiliza para expresar la repetición de una acción.
*Para entenderlo mejor **volvemos a leer** el texto.*

Seguir + gerundio:
Se utiliza para expresar que una acción continúa.
*¿**Seguimos leyendo** el texto hasta el final?*

Ejercicios

Las perífrasis con *empezar, volver* y *seguir*

1. *Volver a* + infinitivo.
Completa las frases.

0. Primero lees el texto deprisa y después lo ...... *vuelves a leer* ...... más despacio.

1. Se toma esta medicina por la mañana y por la noche se .... otra.

2. Nos bañamos en la piscina antes de comer y después nos ....

3. Hacéis 15 minutos de gimnasia ahora y por la tarde .... otros 10 minutos, ¿vale?

4. Voy hoy, pero no .... nunca más.

5. Mi abuelo tiene mala memoria. Un día me explica una cosa y al día siguiente me la ....

Aciertos: .... **de 5**

2. *Empezar a* + infinitivo.
Transforma las frases como en el modelo.

0. Crecen las flores.   *Empiezan a crecer las flores.*

1. Los chicos salen del colegio. ....

2. Ahora creemos en ti. ....

3. Me molestas. ....

4. Llueve un poco. ....

5. Mañana voy a la piscina. ....

6. ¿Cuándo trabajáis? ....

7. Actúo en diez minutos. ....

Aciertos: .... **de 7**

3. *Seguir* + gerundio.
Transforma las frases.

0. Está escribiendo la carta.   *Sigue escribiendo la carta.*

1. Están durmiendo la siesta. ....

2. ¿Estáis estudiando todavía? ....

3. Estoy hablando por teléfono. ....

4. ¿Estás leyendo el periódico? ....

5. Estamos mirando el paisaje. ....

6. ¿Está usted esperando al director? ....

Aciertos: .... **de 6**

4. *Empezar* y *seguir.*
Transforma las frases.

0. Trabajo en un restaurante, pero estudio por las noches.
Empiezo a trabajar en un restaurante, pero sigo estudiando por las noches.

1. Este año va a una academia, pero estudia español en la universidad.
....

2. Funciona el aire acondicionado, pero hace calor.
....

3. Sale el sol, pero todavía tengo frío.
....

4. La directora habla, pero la gente hace ruido.
....

Aciertos: .... **de 4**

5. Un encuentro inesperado.
Completa el diálogo con las perífrasis del recuadro.

| vuelvo a llevar | sigues trabajando | <u>volver a verte</u> | empiezo a trabajar | vuelvo a trabajar | sigo siendo |

Sofía: ¡Qué sorpresa, Matilde!

Matilde: Hola, Sofía, ¡qué alegría ....*volver a verte*...........! ¿Qué haces aquí? ¿Cómo te va?

Sofía: Muy bien. Es que .... en esta oficina.

Matilde: ¿De verdad? Otra vez en esta oficina. ¡Fantástico! Vamos a ser compañeras.

Sofía: ¿Tú .... aquí?

Matilde: Claro. Llevo ya diez años.

Sofía: Pues yo .... a partir del lunes. Nos vamos a ver todos los días.

Matilde: ¿En qué departamento vas a estar?

Sofía: Una vez más .... la gestión comercial. Ya sabes, es mi especialidad.
¿Y tú dónde estás? ¿Donde siempre?

Matilde: Sí, yo .... la secretaria de dirección.

Sofía: Estupendo. Bueno, nos vemos el lunes.

Aciertos: .... **de**

6. Frases incompletas.
Relaciona las frases siguientes.

0. Mi abuelo vuelve a repetir...   **a.** empezamos a cenar todos juntos.

1. A las diez de la noche...   **b.** el piso de arriba.

2. Se vuelve a comprar...   **c.** la gasolina va a subir.

3. Vuelve a darnos la misma explicación...   **d.** la misma historia de la guerra.

4. Vuelven a vender...   **e.** para ver si por fin lo entendemos.

5. Los periódicos empiezan a decir que...   **f.** perder energía, pero sigue siendo muy activo.

6. Con los años Lucio empieza a...   **g.** un móvil nuevo.

7. Normalmente ese autobús...   **h.** vuelve a pasar por esta parada a las 9.

Aciertos: .... **de**

7. ¿*Empezar* o *volver*?

Sustituye los elementos marcados por *empezar a* o *volver a*.

0. Trabaja por <u>primera vez</u> esta semana. ...... *Empieza a trabajar esta semana.*

1. Estudia <u>otra vez</u> 2º de Bachillerato. ....

2. <u>Otra vez</u> llegas tarde. ....

3. <u>Este año</u> estudia por primera vez idiomas. ....

4. Escucha <u>de nuevo</u> el mismo disco. ....

5. Llovió <u>en ese momento</u>, al salir de casa. ....

6. Se cae al suelo y se levanta <u>de nuevo</u>. ....

7. <u>Hoy mismo</u> leo el libro de Vargas Llosa. ....

8. Tiene una salud delicada. <u>Otra vez</u> está enfermo. ....

9. <u>Mañana</u> ponen los artículos en rebajas. ....

Aciertos: .... **de 9**

8. Titulares del periódico.

Completa las frases con las perífrasis *empezar a, volver a*.

LOS PARTIDOS POLÍTICOS
[1] .... PREPARAR
LA CAMPAÑA ELECTORAL DE
LAS PRÓXIMAS
ELECCIONES GENERALES

DE NUEVO, [0] ......*vuelven a*...... OCUPAR LAS MANIFESTACIONES
LAS CALLES DE LA CIUDAD

EL LÍDER DE LA OPOSICIÓN [2] .... REPETIR
SUS CRÍTICAS, PERO NADIE LAS ENTIENDE

YA ESTÁ AQUÍ
LA PRIMAVERA
Y [3] ....
HACER CALOR
OTRA VEZ

DESPUÉS DE LA EXPLOSIÓN, EL CIELO [4] ....
CUBRIRSE DE UNA ESPESA NUBE DE HUMO

HOY TAMPOCO VA A HABER ACUERDO. [5] .... ROMPERSE LA NEGOCIACIÓN

TODO OÍDOS. Escucha el diálogo.

34

Aciertos: .... **de 5**

Profesora: Hoy, en los primeros minutos de la clase, **seguimos practicando** un poco cómo expresar la probabilidad en español.

Alumno: Profesora, por favor.

Profesora: Sí, dime, David, ¿qué quieres?

Alumnos: Una pregunta. ¿Y si **volvemos a hacer** el último ejercicio de ayer? **Seguimos teniendo** muchas dudas.

Profesora: Bueno, de acuerdo. David, ¿**empiezas** tú **a leer** tus frases?

Total de aciertos: .... **de 48**

EVALÚATE

Muy bien   Bien   Regular   Mal

Componentes:
Las conjunciones

18

FORMA	USO
Y, e, o, u, pero.	Para relacionar elementos y oraciones.

35

¿Qué les pongo?

Un té **y** un café con leche, **pero** con la leche fría, por favor.

FORMA

Palabras que unen elementos y oraciones	
y	Me gustan <u>las comedias</u> **y** <u>las películas de terror</u>.
e	<u>Ramón</u> **e** <u>Isabel</u> son hermanos.
o	¿Quiere usted <u>té</u> **o** <u>café</u>?
u	Hay <u>diez</u> **u** <u>once</u> platos para elegir.
pero	Esta flor es muy <u>pequeña</u>, **pero** <u>bonita</u>.

USO

Y, e:

1. Se utilizan para añadir una palabra o una oración a otra palabra u otra oración.
*Voy al cine **y** vuelvo tarde a casa.*

2. Cuando hay más de dos elementos, se pone *y* o *e* solo antes del último.
*Me gustan el cine, el teatro **y** el circo.*

3. Se utiliza *e* en lugar de *y* cuando la palabra siguiente empieza por *i-* o *hi-*.
*Hacemos una paella en mi casa **e** invitamos a unos amigos.*

O, u:

1. Se utilizan para indicar una alternativa.
*¿Estudiamos en casa **o** vamos a la biblioteca?*

2. Se utiliza *u* en lugar de *o* cuando la palabra siguiente empieza por *o-* u *ho-*.
*¿Son mujeres **u** hombres?*

Pero:

1. Une elementos o ideas contrastados.
*No habla español, **pero** lo entiende.*

2. Normalmente lleva una coma delante.

Ejercicios

1. ¿Y o e?
Completa.

0. Tienes que leer .....y..... estudiar al mismo tiempo.
1. Este libro es muy interesante .... está bien escrito.
2. La combinación de oxígeno .... hidrógeno forma el agua.
3. Los grandes almacenes .... hipermercados están a las afueras de la ciudad.
4. Manuel siempre llega el primero .... elige el mejor sitio.
5. Viene con Pilar Jiménez .... Isabel García.
6. Tengo que hacer actividades de léxico .... ejercicios de gramática.
7. Me gusta mucho la asignatura de Geografía .... Historia.
8. Mañana empieza una feria de sonido .... imagen.
9. Todas sois muy guapas .... elegantes.

Aciertos: .... **de 9**

2. ¿O o u?
Subraya la opción correcta.

0. Voy a ver a Paco en Asturias, no sé si en Gijón **o / u** Oviedo.
1. Me da igual trabajar con Rafael **o / u** Óscar en esta investigación.
2. Quedamos el lunes **o / u** el martes, ¿vale?
3. El mejor momento para venir aquí es en septiembre **o / u** octubre.
4. ¿Nos sentamos en la terraza **o / u** en el interior?
5. El debate puedes verlo por televisión **o / u** oírlo por la radio.
6. ¿Te duelen los dientes **o / u** los oídos?
7. **O / U** organizamos bien las cosas **o / u** la fiesta no se puede hacer.
8. La conferencia es un desastre. Solo hay ocho **o / u** nueve personas.
9. Bueno, ya está bien: **o / u** os sentáis, **o / u** os vais.
10. Uno **o / u** otro día se va a dar cuenta de todo.

Aciertos: .... **de 12**

3. Test de conjunciones.
Marca la respuesta correcta.

0. Es muy pequeña. Todavía tiene siete .... ocho años.
   ☐ y　　☐ e　　☐ o　　☑ u
1. Habla muy bien francés .... inglés.
   ☐ y　　☐ e　　☐ o　　☐ u
2. Normalmente llega el primero .... prepara la sala para las conferencias.
   ☐ y　　☐ e　　☐ o　　☐ u
3. ¿Es vertical .... horizontal?
   ☐ y　　☐ e　　☐ o　　☐ u
4. Esta semana juega uno de estos equipos: Francia .... Italia.
   ☐ y　　☐ e　　☐ o　　☐ u
5. ¿Qué va a ser el bebé? ¿Niño .... niña?
   ☐ y　　☐ e　　☐ o　　☐ u

6. Pedro .... Inmaculada son los mejores de la clase.

☐ y   ☐ e   ☐ o   ☐ u

7. En este vagón caben setenta .... ochenta personas.

☐ y   ☐ e   ☐ o   ☐ u

8. ¿Cómo se llama la mayor de las gemelas? ¿Ovidia .... Olga?

☐ y   ☐ e   ☐ o   ☐ u

9. Este viaje es muy largo. Dura siete .... ocho horas.

☐ y   ☐ e   ☐ o   ☐ u

10. ¿Cuándo vas a venir a casa? ¿El viernes .... el sábado?

☐ y   ☐ e   ☐ o   ☐ u

Aciertos: .... de 1(

4. Algunas informaciones.
Relaciona las frases de las dos columnas.

0. Voy al gimnasio los viernes y   a. te castigo, ¿qué prefieres?

1. Hace ya tres o   b. hijos.

2. Jaimito, o terminas la cena o   c. amor.

3. Hay una buena relación entre padres e   d. Holanda? No recuerdo.

4. Recorremos tiendas y tiendas y   e. inteligente. Tiene mucho éxito.

5. ¿Os quedáis con nosotros a cenar u   f. sábados por la tarde.

6. Es una mujer guapa e   g. nunca compramos nada.

7. Es feliz. Tiene dinero y   h. ocho años.

8. Su hermano tiene siete u   i. os vais a casa?

9. ¿Dónde está Amberes? ¿En Bélgica u   j. cuatro años que no nos vemos.

Aciertos: .... de 9

5. Varias opciones o una.
Completa los diálogos con *e / y, o / u.*

0. ● ¿Qué hacemos el fin de semana?

   ○ Podemos ir a la playa ....y..... a la montaña.

   ● No podemos ir a los dos sitios. ¿Qué prefieres? ¿Ir a la playa .....o..... a la montaña?

1. ● ¿A qué hora es la sesión?

   ○ A las siete .... a las ocho. No me acuerdo.

   ● ¿Por qué no llamas al cine .... lo preguntas?

2. ● ¿De dónde eres? ¿De Panamá .... Honduras?

   ○ Soy de Panamá .... vivo también en Panamá.

3. ● Está muy cerca. Podemos ir en autobús .... luego a pie.

   ○ Estoy muy cansada. O vamos en nuestro coche .... tomamos un taxi.

4. ● ¿Qué vas a hacer ahora? ¿Trabajar .... seguir estudiando?

   ○ Voy a trabajar .... seguir estudiando.

   ● ¿Las dos cosas? No vas a tener tiempo para ti.

Aciertos: .... de

6. Formular un argumento.

Completa las frases con *y, o, pero.*

0. Este alumno escribe redacciones muy buenas
...*pero*... muy cortas.

...*o*... muy malas. Depende del día.

...*y*... sin faltas de ortografía.

1. Natividad Ponce es pintora

.... una gran escultora.

.... escritora, no me acuerdo.

.... no vende ni un cuadro.

2. Silvia está enamorada de Ricardo

.... él no está enamorado de ella.

.... de Mario, no estoy segura.

.... de Jorge. Los quiere a los dos.

3. Vamos a pasar la noche en un hotel

.... en un *camping*. Según el precio.

.... en uno barato.

.... mañana seguimos el viaje.

4. Este pantalón es bonito

.... feo. Según la camisa que te pongas.

.... no te lo compro porque es muy caro.

.... va bien con la camisa.

5. Mi hijo quiere estudiar Derecho

.... no quiere ser abogado.

.... tener su bufete de abogado.

.... Medicina. Todavía no se decide.

Aciertos: .... **de 15**

7. El fin de semana.

Completa el diálogo con *y, o, pero.*

● ¿Vamos a Andorra este fin de semana? Podemos esquiar ......*y*...... después hacer compras.

○ Es una buena idea, ... no puedo. Tengo mucho trabajo.

● ¿Los dos días .... solo el sábado?

○ Pues todo el sábado .... también el domingo por la mañana.

● Entonces el domingo por la tarde podemos ir al cine .... al teatro.

○ ¿Y un concierto?

● Hay un concierto estupendo en el Liceo, ... ya no quedan entradas.

○ Vaya. Entonces vamos al cine .... cenamos fuera.

● Vamos al cine .... no cenamos fuera. Es que tengo que acostarme pronto.

○ Vale.

Aciertos: .... **de 7**

TODO OÍDOS. Escucha el diálogo.

36

Camarero: ¿Van a tomar el plato del día?
Cliente 1: Sí. ¿Qué tienen hoy?
Camarero: De primero hay ensalada de la casa, crema de verduras **o** macarrones. **Y** de segundo, filete con patatas, merluza en salsa verde **o** pollo asado.
Cliente 1: Yo quiero crema de verduras **y** filete.
Cliente 2: Yo quiero lo mismo, **pero** el filete sin patatas.
Camarero: ¿Van a tomar postre **o** café?
Cliente 1: Yo un postre de la casa.
Cliente 2: **Y** yo un café con leche, **pero** con la leche fría.

Total de aciertos: .... **de 70**

EVALÚATE

Muy bien   Bien   Regular   Mal

Componentes:
Verbos de emoción y sentimiento

FORMA	USO
Gustar, parecer, molestar, interesar, etc.	Para expresar gustos y emociones.

¿Te gusta esta camisa?

No mucho, **me parece** un poco clásica. **Me gusta** más la otra.

FORMA

Regla general: Siempre llevan un pronombre objeto indirecto delante y se utilizan en tercera persona del singular o del plural, dependiendo del sustantivo.

Me gusta (mucho) el cine.　　　　**Me duele** (un poco) la cabeza.
Me molestan las moscas en verano.　Estos libros **me parecen** (muy) interesantes.

Pronombres personales		verbo en singular o plural		
A mí	Me	**gusta** **duele** **molesta**	(+ adverbio de cantidad: *mucho, poco, bastante...*)	+ sustantivo singular *Me gusta* (mucho) *el tenis.* + infinitivo *Me gusta jugar al tenis.*
A ti	Te			
A él, ella, usted	Le			
A nosotros, nosotras	Nos	**gustan** **duelen** **molestan**		+ sustantivo plural *Me gustan los deportes.*
A vosotros, vosotras	Os			
A ellos, ellas, ustedes	Les			

Pronombres personales		parecer			
A mí	Me	**parece**	(+ adverbio de cantidad: *muy...*)	+ adjetivo + adverbios *bien* y *mal*	+ sustantivo singular o infinitivo *Este tema me parece* (muy) *fácil.*
A ti	Te				
A él, ella, usted	Le				
A nosotros, nosotras	Nos	**parecen**			+ sustantivo plural *Me parecen bien sus planes.*
A vosotros, vosotras	Os				
A ellos, ellas, ustedes	Les				

Otros verbos que funcionan igual: *encantar, doler, molestar, apetecer, interesar, preocupar...*
Me encantan las películas de terror.　**Me apetece** un plato de macarrones.

1. Con un sustantivo singular o con un infinitivo, van en tercera persona del singular; con un sustantivo plural, van en tercera persona del plural.
(A mí) **me gusta** *mucho la música clásica.*
(A mí) **me gusta** *escuchar música clásica.*
(A mí) **me gustan** *los discos de flamenco.*

2. El sustantivo siempre lleva un determinante.
Me duele *un dedo.* / **Me duele** *este dedo.*

3. Normalmente van seguidos de un adverbio de cantidad (*mucho, bastante, poco...*).
Me molesta *bastante llegar tarde.*

4. No es necesario el uso de *a mí, a ti*, etc. Pero sí lo es cuando:
　a) Queremos dar énfasis.
　　　A mí me interesa mucho este puesto de trabajo.

　b) Queremos marcar un contraste.
　　● *Me encanta este hotel.*
　　○ *Pues a mí no me gusta nada.*

　c) Queremos dejar claro de quién hablamos.
　　¿Le gusta viajar? ｛ *¿A él le gusta viajar?* *¿A ella le gusta viajar?* *¿A usted le gusta viajar?* ｝

Gustar y *parecer:*
El verbo *gustar* expresa gustos y no va nunca con adjetivos de valoración. El verbo *parecer* expresa opiniones y siempre va con un adjetivo de valoración o con los adverbios *bien* y *mal*.
A mí **me gusta** *mucho el flamenco,* **me parece** *muy interesante.*

Ejercicios

Verbos de emoción y sentimiento

1. La preposición *a* y los pronombres.
Completa con el pronombre o pronombres adecuados.

0. ¿A ...*ustedes / ellos / ellas*... les parece normal el ruido de los vecinos?
1. A .... nos gusta vivir en el centro de la ciudad.
2. ¿A .... te gusta quedarte en casa los domingos por la tarde?
3. A .... me parece muy divertido esquiar en Los Pirineos.
4. ¿A .... os gusta la comida mexicana?
5. A .... le parece interesante este programa?

Aciertos: .... **de 5**

2. El verbo *gustar*.
Completa con el pronombre + *gusta / gustan*.

0. ¿A ti ....*te gustan*.... los muebles de diseño?
1. ¿A ella .... las novelas de aventuras?
2. A los niños no .... dormir la siesta.
3. A tus amigos .... mucho hacer excursiones.
4. A mis padres .... los pueblos pequeños de la costa.
5. ¿A ustedes .... las reuniones de empresa?
6. A nosotras .... hacer fotografías.
7. ¿A vosotros .... la paella valenciana?
8. A Damián .... mi ordenador portátil.

Aciertos: .... **de 8**

3. El verbo *parecer*.
Contesta como en el ejemplo.

0. ● ¿Qué os parece salir por la noche? (peligroso)   ○ *Nos parece peligroso.*
1. ● ¿Qué te parecen estos libros? (aburridos)   ○ ....
2. ● ¿Qué les parece a ellas el turismo rural? (interesante)   ○ ....
3. ● ¿Qué os parecen las playas del Caribe? (limpias)   ○ ....
4. ● ¿Qué le parece a usted esta ciudad? (tranquila)   ○ ....
5. ● ¿Qué te parece comer en ese restaurante? (caro)   ○ ....
6. ● ¿Qué te parece cenar a las 12 de la noche? (mal)   ○ ....
7. ● ¿Qué os parece conocer a gente por Internet? (bien)   ○ ....

Aciertos: .... **de 7**

4. ¿En singular o en plural?
Pon los verbos entre paréntesis en la forma adecuada.

0. A mi padre siempre le (doler) ....*duele*...... la cabeza.
1. ¿Sabes? Me (apetecer) .... un bocadillo de jamón.
2. Me (encantar) .... leer libros en el metro.
3. A tu hermano le (interesar) .... mucho la ecología.
4. A los extranjeros les (encantar) .... la paella y el gazpacho.
5. ¿Os (molestar) .... hablar de vuestra vida personal?
6. Nos (preocupar) .... la salud de nuestros hijos.
7. ¿Os (apetecer) .... tomar una limonada?

Aciertos: .... **de 7**

5. Gustos y preferencias.

Completa estos diálogos con *querer, gustar* o *parecer* y el pronombre correspondiente.

0. *Haciendo planes para la tarde*

- ● ¿Vamos esta tarde a ver una película de terror?
- ○ No, a mí no ....*me gusta*.... ver ese tipo de películas. ....*Me parecen*.... muy desagradables.

1. *Eligiendo el postre en el restaurante*

- ● ¿Ustedes .... tarta de chocolate de postre?
- ○ A mí no .... el chocolate, prefiero fruta.
- ● Pues yo sí .... una tarta de chocolate.

2. *El futuro de los hijos*

- ● ¿Tu hijo va a ser ingeniero como tú?
- ○ No, mi hijo no .... ser ingeniero. No .... , ... muy difícil.

3. *En una tienda de ropa*

- ● ¿A usted .... estos pantalones azules?
- ○ No, no .... , ... muy anchos. .... unos más estrechos.

4. *No tienen los mismos gustos musicales*

- ● ¿Tú .... venir mañana conmigo a un concierto de hip-hop?
- ○ No, el hip-hop no .... nada. .... una música muy monótona.

6. Hablando de gustos y sentimientos.

Completa las frases con los verbos del recuadro.

Aciertos: .... de 1:

0. A mi hijo le .....*gustan*.... mucho los caramelos de fresa.

1. ● ¿Te .... un plato de paella ahora?
   ○ No, gracias, ahora no tengo hambre.

2. ● Estás triste. ¿Te .... algo?
   ○ No, es que me .... mucho las muelas.

3. ● Perdona, ¿te .... el aire acondicionado?
   ○ Sí, tengo frío.

4. Somos tus padres. A nosotros nos .... tus problemas.

gustan	preocupa
duelen	molesta
apetece	interesan

Aciertos: .... de 5

7. Esta pareja tiene gustos y opiniones muy diferentes. No están de acuerdo en nada.

Observa el contraste y completa las respuestas.

Contraste *También / Tampoco*		
Adverbio	**Significado**	**Ejemplo**
También	Expresar acuerdo	☺ *A mí me encanta el cine.* ☺ *A mí también.*
Tampoco		☹ *A mí no me gusta el café.* ☹ *A mí tampoco.*
Sí	Expresar desacuerdo	☹ *A mí no me gusta salir.* ☺ *A mí sí.*
No		☺ *A mí me encanta la paella.* ☹ *A mí no.*

0. ● A mí me encanta la ópera.   ○ ....*A mí no*............... .
1. ● A mí no me gustan nada los deportes.   ○ ....
2. ● A mí no me interesan las noticias de política.   ○ ....
3. ● A mí me gusta mucho leer.   ○ ....
4. ● A mí me preocupa mucho la economía del país.   ○ ....
5. ● A mí no me gusta el cine español.   ○ ....
6. ● A mí me parece divertido ir al zoo.   ○ ....
7. ● A mí no me interesan los debates en televisión.   ○ ....   **Aciertos:** ....   **de 7**

8. **Y esta pareja tiene gustos muy similares. Están de acuerdo en todo.**
Completa las respuestas.

0. ● A mí me encanta la ópera.   ○ ....*A mí también*............... .
1. ● A mí no me gustan nada los deportes.   ○ ....
2. ● A mí no me interesan las noticias de política.   ○ ....
3. ● A mí me gusta mucho leer.   ○ ....
4. ● A mí me preocupa mucho la economía del país.   ○ ....
5. ● A mí no me gusta el cine español.   ○ ....
6. ● A mí me parece divertido ir al zoo.   ○ ....
7. ● A mí no me interesan los debates en televisión.   ○ ....   **Aciertos:** ....   **de 7**

9. **Dos amigos hablan de sus estudios.**
Completa las frases con el verbo *gustar* y con *a mí, a ti, a él* si es necesario.

0. ● ¿.......*Te gusta*....... estudiar en la biblioteca o en casa?
   ○ Yo prefiero en la biblioteca. En casa siempre hay mucha gente.
   ● ....*A mí*........... también ....*me gusta*........... más estudiar en la biblioteca, ...*me gusta*........... reunirme
   con los compañeros de la universidad y comentar las dudas.
1. ● ¿Qué .... más, estudiar por la mañana o por la tarde?
   ○ Yo prefiero venir temprano. .... más estudiar por la mañana.
   ● .... también. No .... nada salir de noche de la biblioteca.
2. ● ¿Qué momento del día .... más para reunirte con tus compañeros de la universidad?
   ○ .... por la mañana, pero a mis compañeros .... más por la tarde,
   antes de volver a casa.
   ● .... tampoco .... por la tarde. Afortunadamente a mis compañeros tampoco
   .... reunirse a esa hora.

     Aciertos: ....   **de 10**

TODO OÍDOS. Escucha el diálogo.

38

■ ¿Qué **os gusta** hacer a vosotros?
● Mi marido y yo tenemos gustos muy diferentes.
A mí me encanta la ópera, pero **a él no le gusta** nada, **le parece** muy aburrida. **A mí no me gusta** bailar, pero **a él le encanta**.
■ ¿Entonces no salís nunca?
● Sí, vamos juntos a museos, **nos interesa** mucho el arte.

Total de aciertos: ....   **de 69**

EVALÚATE

Muy bien   Bien   Regular   Mal

El pretérito indefinido

20

FORMA	USO
Verbos regulares y de irregularidad propia.	Para hablar de acontecimientos pasados y valorarlos.

39

¿Qué **hiciste** ayer?

Estuve toda la mañana en la oficina. **Fui** a comer con unos clientes. **Terminamos** de comer a las cinco y **volví** otra vez a la oficina. **Fue** un día bastante aburrido.

FORMA

Pretérito indefinido regular

	-ar	-er, -ir	hablar	beber	vivir
yo	-é	-í	hablé	bebí	viví
tú	-aste	-iste	hablaste	bebiste	viviste
él, ella, usted	-ó	-ió	habló	bebió	vivió
nosotros, nosotras	-amos	-imos	hablamos	bebimos	vivimos
vosotros, vosotras	-asteis	-isteis	hablasteis	bebisteis	vivisteis
ellos, ellas, ustedes	-aron	-ieron	hablaron	bebieron	vivieron

Pretérito indefinido de verbos de irregularidad propia

	hacer	ser / ir	dar	estar	tener
yo	hice	fui	di	estuve	tuve
tú	hiciste	fuiste	diste	estuviste	tuviste
él, ella, usted	hizo	fue	dio	estuvo	tuvo
nosotros, nosotras	hicimos	fuimos	dimos	estuvimos	tuvimos
vosotros, vosotras	hicisteis	fuisteis	disteis	estuvisteis	tuvisteis
ellos, ellas, ustedes	hicieron	fueron	dieron	estuvieron	tuvieron

Observaciones:

1. *Ir* y *ser* tienen las mismas formas en el indefinido.
2. Estos pretéritos irregulares no llevan ningún acento escrito.

Observaciones:

1. El acento es, a veces, la única marca para diferenciar los tiempos:
   Presente: *(yo) hablo*
   Pretérito: *(él) habló*
2. La primera persona del plural de los verbos terminados en *-ar* y en *-ir* es la misma en presente y en pretérito indefinido. Solo el contexto diferencia uno de otro.
   Escribimos un correo y nos vamos. (Presente)
   El otro día le escribimos un correo y no contestó. (Pretérito)
3. Los verbos con diptongación en presente no la tienen en pretérito indefinido.
   Cierro la ventana. > Cerré la ventana.

USO

1. Para contar acontecimientos pasados. Suele utilizarse con expresiones como *ayer, la semana pasada, el año pasado...*
   *Me **compré** este vestido ayer.*

2. Para informar sobre acontecimientos que sucedieron en un momento concreto del pasado.
   *Me **casé** el 20 de mayo de 1990.*

3. Para valorar hechos del pasado.
   *La clase **fue** muy divertida.*

4. Se usa mucho en las narraciones y las biografías.
   *Rubén **nació** en Santander, pero **trabajó** y **vivió** en Madrid.*

viajes – travel
viajar – to travel

1. Del presente al pasado.

Pon los verbos en pretérito indefinido.

0. Compro fruta. — *Compré fruta.*
1. Veo una película. — ~~Ve~~ *Vi una pel.*
2. Cierra la puerta. — *Cerró la puerta* (bored)
3. Me aburro en casa. — *Me aburré en casa* (er)
4. Vemos la tele. — *Vimos la tele*
5. Viajo por España. — *Viajé por España*
6. Cuenta mentiras. — *Contó mentiras* (Contar)
7. Esperamos el autobús. — *Esperamos el autobus* (wait) (ar)
8. Escriben poesías. — *Escribieron poesías*
9. Se pasea por el parque. — *se paseaste* PASEARON (pasear)
10. Entienden la pregunta. — *Entendieron la pregunta*

11. Estudiáis mucho. — *Estudiaste mucho* ESTUDIASTEIS
12. Pretende hacerlo. — *pretendiste hacerlo* (er)
13. Escuchamos la radio. — *Escuchamos la radio* (ar)
14. Enciende la luz. — *Encendió la luz* (er)
15. Alquilan un piso. — *Alquilaron un piso* (rent – ar)
16. Encuentra la calle. — *Encontró la calle* (find) (cuentro)
17. Escuchas música. — *Escuchaste música*
18. Te bañas en el mar. — *Te bañaste en el mar* (bañarse / bañar)
19. Resolvemos el problema. — *Resolvimos el problema*
20. Vuelves a casa. — *Volviste a casa* (goes) (vuelvse)
21. Subes las escaleras. — *subiste las escaleras* (goes up)

Aciertos: .... **de 21**

2. Identifica las formas de los diferentes tiempos.

Marca el tiempo de cada forma y escribe el infinitivo. Recuerda que pueden pertenecer a los dos tiempos.

Forma	Presente	Pretérito indefinido	Infinitivo	Forma	Presente	Pretérito indefinido	Infinitivo
0. como	X	*Comí*	comer	6. comimos	*comemos*	X	*comer*
1. salieron	*salen*	X	*salir*	7. baño (dance)		X	*bailé* / *bañar*
2. estudió	X	*estudié*	*estudiar*	8. saludé (greet)	*saludo*	X	*saludar*
3. vivimos	X	X	*vivir*	9. pasó	*pasa*	X	*pasar*
4. hablamos	X	X	*hablar*	10. entramos	X	X	*entrar*
5. esperó (wait)	X *espera*	X	*esperar*	11. corrimos (run)	*corremos*	X	*corren*

Aciertos: .... **de 11**

3. ¿Qué pasó?

Contesta a las preguntas.

0. ● ¿Adónde fuiste el domingo? — ○ ...*Fui*... al cine con mis amigos.
1. ● ¿Qué hiciste el verano pasado? — ○ ...*hice*... un viaje por América del Sur.
2. ● ¿Cuándo llegaste de Perú? — ○ *llegé*... la semana pasada.
3. ● ¿Dónde estuvieron tus padres de vacaciones? — ○ *estuvieron* en un pequeño pueblo.
4. ● ¿Qué tal lo pasasteis el fin de semana? — ○ Lo *pasa* *pasasteis* muy bien.
5. ● ¿A qué hora se fueron tus amigos? — ○ No sé, pero se .... muy tarde.

Aciertos: .... **de 5**

4. Verbos irregulares.
Transforma las frases.

0. Tienes razón. ....*Tuviste razón*..........

1. María va al cine. María fue al cine

2. Hago todos los ejercicios del cuaderno.
Hice todos los ejercicios del cuaderno

3. El avión no llega a su hora. El avión no llegó

4. Hace las cosas muy deprisa. Hizo las cosas

5. Soy camarero. fui camarero

6. Juan está muy contento. Juan esta muy

7. Se va de vacaciones a América. ....

8. Rosendo no está contento. ....

9. Pedro tiene mucho trabajo. ....

10. No hace nada. ....

11. Hacemos las camas. ....

Aciertos: .... de

5. Ayer fue un día diferente.
Cambia de presente a pretérito indefinido.

Normalmente...	Pero ayer...
0. Me levanto a las siete y media.	....*Me levanté*..... a las nueve.
1. Desayuno en una cafetería.	Desayune..... en casa.
2. Estoy toda la mañana en la oficina.	Estuve........ de compras en un centro comercial.
3. Como a las dos en casa.	Comi......... en un restaurante con unos amigos.
4. Vuelvo al trabajo a las tres y media.	Volvi....... a casa a dormir la siesta.
5. Voy a trabajar hasta las seis.	fui............ a dar un paseo por el parque.
6. Después voy al supermercado a comprar la cena.	fui............ a una agencia de viajes a reservar un viaje a Egipto.
7. Ceno, veo un rato la tele y me acuesto.	Vi............ (invitar) a mi familia a cenar en un restaurante.

8. ¡Ayer (ser) fui............... mi primer día de jubilado!

Aciertos: .... de

6. La primera vez de algunos españoles famosos.
Relaciona las columnas y completa con el pretérito indefinido.

0. Fernando Alonso

1. Pedro Almodóvar

2. Carlos Ruiz-Zafón

3. Rafa Nadal

4. Antonio Banderas

5. Alejandro Sanz

6. Raúl González

a. (Escribir) Escribió... su primera novela, *El príncipe de la niebla*, en 1993.

b. (Grabar) Grabó...... su primer disco, *Viviendo deprisa*, en 1991.

c. (Jugar) Jugó....... con solo 17 años su primer partido en el Real Madrid en 1994.

d. (Rodar) Rodó........ su primera película en Estados Unidos, *Los reyes del mambo tocan canciones de amor*, en 1992.

e. (Ganar) .....*Ganó*..... su primer título mundial de Fórmula 1 en 2005.

f. (Hacer) Hizo..... su primera película, *Pepi, Luci, Bom y otras chicas del montón*, en 1980.

g. (Ganar) Ganó..... su primer torneo de tenis a los 8 años, en 1994.

Aciertos: c

7. Esta es la agenda de Cristina. ¿Qué hizo ayer?

Elige el verbo adecuado y completa con el pretérito indefinido.

Martes 17 de junio
10.00 Reunión con un cliente.
12.00 Pediatra con la niña.
14.00 Comida con el director de RR.HH.
16.00 Informe a "Equifass".
18.00 Entrevista con la profesora de la niña.
19.00 Clase de alemán.
21.00 Cena con unos compañeros de la universidad.

~~enviar~~ *send* ~~cenar~~ comer reunirse *gather*
tener llevar *carry* ir

0. A las diez *tuvo una reunión con un cliente.*
1. A las doce *envió con la niña*
2. A las dos *comió con el director*
3. A las cuatro *Envió a "Equifass".*
4. A las seis *reunió con la profesora*
5. A las siete *fue a clase de alemán*
6. A las nueve *Cenó con compañeros*

Aciertos: .... **de 6**

8. La biografía de Miguel de Cervantes.

Completa con los verbos en pretérito indefinido.

(Nacer) *Nació* el 29 de septiembre de 1547 en Alcalá de Henares, Madrid. De pequeño (vivir) *vivió* y (estudiar) *estudió* en distintas ciudades españolas. Cuando (cumplir) *cumplió* veinte años, se (ir) *fue* a Roma y (recorrer) *recorrió* toda Italia. En 1571 (participar) *participó* en la batalla de Lepanto y allí (perder) *perdió* el movimiento del brazo izquierdo, por eso lo (llamar) *llamó* el Manco de Lepanto. Ya en España (casarse) *casó* con Catalina de Salazar y Palacios. (Publicar) *Publicó* su primer libro, *La Galatea*, pero no (tiene) *tuvo* éxito. Se (marchar) *marchó* a Sevilla para trabajar de recaudador de impuestos. Allí lo (meter, ellos) *metieron* en la cárcel por errores en las cuentas. En la cárcel (empezar) *empezó* a escribir *Don Quijote de la Mancha*. Después se (trasladar) *trasladó* a Valladolid, donde (escribir) *escribió* una serie de novelas cortas que (reunir) *reunió* en una colección llamada *Novelas ejemplares*. Pero la fama le (llegar) *llegó* con la publicación de la primera parte de *Don Quijote de la Mancha*, en 1605. La segunda parte (aparecer) *apareció* en 1615. Y en 1617 las dos partes se (publicar) *publicó* juntas en Barcelona. El éxito literario no *libró* (librar) a Cervantes de sus dificultades económicas. (Ser) *fue* pobre hasta su muerte en 1616.

Aciertos: .... **de 22**

TODO OÍDOS. Escucha el diálogo.

40

● ¿Tus padres **nacieron** en España?
■ Mi madre sí **nació** en España, en Granada. Pero mi padre, no. Mi padre es de Marruecos. **Llegó** de joven a España para estudiar medicina. El último año de la carrera **conoció** a mi madre, **se casaron** y **se quedaron** a vivir en Granada. ¿Y los tuyos, son españoles?
● Sí, los dos son españoles, pero los padres de mi madre **nacieron** en Cuba.

Total de aciertos: .... **de 90**

EVALÚATE

Muy bien   Bien   Regular   Mal

Componentes: *ya - already* *todavía - totally yet*

El pretérito perfecto

21

FORMA	USO
El verbo *haber* y el participio.	Para hablar de acontecimientos pasados relacionados con el presente.

¿Por qué llegas tan tarde?

Porque **he tenido** mucho trabajo en la oficina.

41

FORMA

Regla general:

El pretérito perfecto se forma con el presente del verbo *haber* y el participio.
*Hoy **he comido** mucho. Vosotros también **habéis comido** mucho.*
La forma del participio es invariable (no cambia de género ni de número).
*Hemos **comido** una manzana.*
El verbo *haber* y el participio van siempre unidos.
He ~~mucho~~ dormido. **He dormido** *mucho.*

Pretérito perfecto

always - siempre

		Presente de *haber*	+ participio
i	yo	he	
you	tú	has	
he she it	él, ella, usted	ha	habl**ado** com**ido** viv**ido**
we	nosotros, nosotras	hemos	
they	vosotros, vosotras	habéis	
	ellos, ellas, ustedes	han	— do we always use 'han' not habéis

Formación del participio regular		
Infinitivo terminado en	**Participio terminado en**	**Ejemplos**
-ar	**-ado**	hablar > habl**ado**
-er	**-ido**	comer > com**ido**
-ir		vivir > viv**ido**

Participios irregulares

abrir: abierto
decir: dicho
escribir: escrito
hacer: hecho
morir: muerto
poner: puesto
romper: roto *break/tear*
ver: visto
volver: vuelto

Observaciones:

Si el radical del verbo temina en *-a, -e, -o*, el participio acentúa la *i* de la terminación.
caer: caído   leer: leído oír: oído
reír: reído   traer: traído.

USO *use*

1. Para contar acontecimientos pasados dentro de una unidad de tiempo no terminada. Suele utilizarse con expresiones como *hoy, esta semana, este mes, este año...*
*Este año **he estudiado** alemán.*

2. Para contar acontecimientos pasados muy recientes.
He comprado *esta camisa hace diez minutos.*

3. Para explicar que ha ocurrido un acontecimiento esperado. Delante va *ya.*
Ya ha terminado *el partido de fútbol.*

4. Para expresar con *todavía / aún no* que una acción esperada no se ha realizado, pero la intención es realizarla.
● *¿**Has preparado** la cena?*
■ *No, todavía no.*

5. Para hablar de experiencias y actividades pasadas sin especificar cuándo se realizaron.
● *¿**Has estado** en México alguna vez?*
■ *Sí, **he estado** varias veces.*

Ejercicios

un documental·
de la naturaleza

ADO
IDO

1. La forma del perfecto.

Completa con el pretérito perfecto.

0. Ernesto se ......*ha comprado*............... un coche esta tarde. (comprar)

1. Los estudiantes .*han aprendido*... muchas palabras nuevas hoy (aprender).

2. Pedro *ha visitado*...... a los abuelos este verano (visitar).

3. Mis padres *han ido*.......... a la Costa del Sol este invierno (ir).

4. ¿No .*has entendido*... nada (entender - tú)?

5. Los chicos *han pedido*.... un profesor particular a sus padres (pedir). *ask (favor)*
   preguntar (question).

6. María, ¿cuántas horas *has dormido*... esta noche (dormir)?

Aciertos: .... **de 6**

2. ¿Por qué?

Une las frases de las dos columnas.

0. Pedro no ve bien.

1. Está muy contento.

2. Vamos a comer.

3. Hay un drama en la familia.

4. Ya podemos entrar.

5. Ya lo sabe.

a. El padre ha muerto.

b. Ya he hecho la tortilla.

c. Han abierto las puertas.

d. Le ha escrito su novia.

e. Ha roto las gafas.

f. Se lo he dicho todo.

Aciertos: .... **de 5**

3. ¿Por qué están así?

Relaciona y completa con el pretérito perfecto.

ir	poner	morir	oír	ganar	comer

0. Está muy contento.

1. Tenemos miedo.

2. Tengo hambre.

3. Está muy guapa.

4. Están muy tristes.

5. Tiene frío.

a. *ha ido*........ a la peluquería. — *hairdresser·*

b. Su equipo ......*ha ganado*......... .

c. Se *han muerto*.... su gato.·

d. No se *ha puesto*... el abrigo.

e. No *he comido*.. nada en todo el día.

f. *Hemos oído*... ruidos extraños en el piso de arriba.

Aciertos: .... **de 5**

4. Las preguntas y las respuestas.
Completa los diálogos.

0. ● ¿....*Has puesto*.... la calefacción esta mañana?   ○ Sí, la ....*he puesto*.... porque hace frío (poner).

1. ● ¿Has *visto* a Fernando hoy?   ○ Sí, lo *he visto*. hace un momento (ver).

2. ● ¿Has *escrito* la carta a tus padres?   ○ Sí, la *he escrito* esta misma tarde (escribir).

3. ● ¿Has *hecho* la compra para el fin de semana?   ○ Sí, la *he hecho* en El Corte Inglés (hacer).

4. ● ¿Has *calculado* gastos de estas vacaciones?   ○ Sí, lo *he calculado* do (calcular).

5. ● ¿Has *envuido* el paquete del regalo?   ○ Sí, lo *he envuido* con papel blanco (envolver).
   envuelto.   *he envelto*

Aciertos: .... de 1

5. ¿Qué ha pasado hoy?
Completa con el pretérito perfecto.

0. Hoy no te ....*he visto*......... en todo el día (ver - yo).

1. ¿Quién *han puesto* estas cosas aquí (poner)?

2. En la reunión de empresa, Miguel *ha openido* a todos (oponerse).

3. Varias personas *han muerto* en un accidente de tráfico (morir).

4. Los niños *han roto* los cristales de la ventana (romper).

5. Todavía no *hemos leído* el correo que nos has enviado (leer - nosotros).

6. Le *han dicho* toda la verdad (decir - ellas).

7. *He hecho* los deberes de matemáticas (Hacer - yo).

8. Le ha comprado un libro y se lo *han envuido* con un papel de regalo (envolver - ellos).

9. No *hemos visto* la catedral de Toledo (ver - nosotras).

10. Me *han proponido* un nuevo trabajo (proponer - ellos).

Aciertos: .... de

6. Una madre pregunta a un hijo no muy obediente.
Completa con el pretérito perfecto y el pronombre si es necesario.

0. ● ¿(Recoger) ....*Has recogido*......... tu habitación esta mañana antes de ir a clase?
   ○ No, no (recoger) ....*la he recogido*.... No (tener) ....*he tenido*.... tiempo.

1. ● ¿(Llegar) *Has llegado* puntual al colegio?
   ○ No. (Llegar) *He llegado* tarde.

2. ● ¿(Visitar) *Has visitido* a la abuela después de las clases?
   ○ No, no (visitar) *he visitido* . (Estar) *He estado* con unos amigos en el parque.

3. ● ¿(Estudiar) *Has estudado* algo esta tarde?
   ○ No. (Jugar) *He jugado* con la videoconsola.

4. ● ¿(Ayudar) *Has ayddado* a tu padre a lavar el coche?
   ○ No, no (ayudar) *he ayudado* a lavarlo.

5. ● ¿(Preparar) *Has preparado* la cena a tu hermana?
   ○ No, no (preparar) *Ha preparado* . (Preparar) *He preparado* ella.

Aciertos: .... de

estado – been
nadado – swimming
muchas veces – many times.

* el

7. Normalmente..., pero hoy...

Completa con el pretérito perfecto y el pronombre si es necesario.

Normalmente...	Pero hoy...
0. Cenamos en casa.	_Hemos cenado_ en un restaurante.
1. Mi jefe llega puntual.	He llegado tarde.
2. Leo el periódico después de comer. *(after)*	He leído después de cenar.
3. No tomo café después de cenar.	He tomado dos.
4. Comprendéis bien mis explicaciones.	No he comprendido.
5. Tienes mucha paciencia.	He tenido muy poca paciencia.

Aciertos: .... **de 5**

8. Un detective privado poco profesional.

Completa el informe del detective con el pretérito perfecto y el pronombre si es necesario.

El señor García (salir) __ha salido__ esta mañana de su casa a las ocho y (subir) *go up/walk up* **se ha subido** al coche. (Llegar) **Ha llegado** a la oficina a las nueve, y media hora más tarde (salir) **ha salido** (Entrar) **Ha entrado** en una cafetería cercana. *nearby* Allí (saludar) *greet* **ha saludado** a un hombre con aspecto extranjero *characteristic foreign origin* y a una mujer joven. (Sentarse, ellos) *sit/seated* **Hemos sentado** El hombre le (dar) **ha dado** un paquete pequeño al señor García y este le (dar) **ha dado** un sobre. *envelope* La mujer (guardar) *hold/reserve* **ha guardado** el sobre en el bolso. *After* Después, el señor García (volver) **ha vuelto** a la oficina y no (salir) *ha* **salido** hasta las nueve de la noche. *even up to* (Dejar) *drop/leave* **Ha dejado** el coche en la oficina y (tomar) *car* **ha tomado** un taxi. ¡No (poder, yo) *will* **He podido** seguirlo porque mi coche (quedarse) *left* **he quedado** sin gasolina!

Aciertos: .... **de 15**

TODO OÍDOS. Escucha el diálogo.

42

■ Llegas muy tarde. *You arrive late*

● Sí, es que **he estado** con un cliente en la oficina hasta las nueve. **He tenido** mucho trabajo todo el día. ¿Y tú? *I was with a client at the office until 9. I had lots of work today. And you?*

■ ¿Yo? Yo **he tenido** un día muy tranquilo. He terminado de trabajar a las cinco y me **he ido** a ver una exposición de fotografías muy interesante con unos compañeros de trabajo. *me? I had a quiet day. I finished work at 5 & I went to see an exhibition of photos, very interesting — with work friends*

● ¡Qué suerte! ¿**Has mirado** si hay algún correo para mí en el ordenador? *What luck! Coincidence! Did you see some post I ordered?*

■ Sí, te han enviado cuatro o cinco, pero no he **abierto** ninguno. *yes, they sent 4 or 5, but I didn't open any*

Total de aciertos: .... **de 68**

EVALÚATE

Muy bien   Bien   Regular   Mal

Los adverbios de tiempo

22

FORMA	USO
Los adverbios de tiempo y las locuciones de frecuencia.	Para indicar el momento en que ocurre un acontecimiento y para hablar de la frecuencia.

43

Ayer fui a ver el concierto de Shakira.

Yo voy a ir **pasado mañana**.

en año pasado.

FORMA

Adverbios de tiempo		
Adverbios	**Significado**	**Ejemplo**
Hoy	En el día actual.	*Hoy es mi cumpleaños, te invito a comer.*
Ayer	En el día anterior a hoy.	*Ayer compré un regalo para Ana.*
Anteayer	En el día anterior a ayer.	*Anteayer me puse enferma. Llevo dos días en cama.*
Anoche	En la noche de ayer.	*Anoche me acosté tarde y hoy estoy cansado.*
Mañana	En el día posterior a hoy.	*Estoy haciendo la maleta. **Mañana** salgo de viaje.*
Pasado mañana	En el día posterior a mañana.	*El examen es **pasado mañana**. Todavía faltan dos días.*
Ahora	En este momento.	*Ahora no puedo salir. Estoy estudiando.*
Antes ✳	Anterioridad en el tiempo.	*Antes trabajé de camarera.*
Después / luego ✳	Posterioridad en el tiempo.	*Ahora estoy comiendo. **Luego** te veo.*
Siempre	En todo tiempo.	*Aquí **siempre** puedes entrar.*
Nunca / jamás ✳	En ningún tiempo.	*Nunca viene a mi casa.*
Pronto	En poco tiempo. Antes del momento oportuno.	*Tiene que irse ahora, pero vuelve **pronto**. Llegas **pronto**. La clase empieza a las 9.*
Tarde	Después del momento oportuno.	*Llega **tarde** a clase.*

Handwritten margin notes:
- *Today*
- *Yesterday*
- *+ yesterday*
- *Last night*
- *this morning*
- *the other morning*
- *Now*
- *Before*
- *After / Later*
- *Always*
- *never*
- *Soon*
- *Late*

Expresiones de frecuencia

+
- siempre
- casi siempre
- generalmente / normalmente
- a menudo
- a veces / de vez en cuando
- casi nunca

−
- nunca

Una, dos, tres... veces Varias veces Muchas veces Pocas veces	}	+ al día, a la semana al mes, al año...

USO

1. Indican cuándo o con qué frecuencia sucede un acontecimiento.
Ayer comimos en un restaurante mexicano.
*Vamos **a menudo** a comer a ese restaurante.*

2. Pueden ir antes o después del verbo.
Siempre tomo un café después de comer.
Una vez a la semana voy al cine.
*Después de comer tomo **siempre** un café.*
*Voy al cine **una vez a la semana**.*

3. *Casi nunca* y *nunca*, si van detrás del verbo, este lleva *no* delante.
*No hago deporte **casi nunca**.*

Ejercicios

Los adverbios de tiempo

1. Los contrarios.
Relaciona.

0. antes   a. despacio
1. pronto   b. nunca
2. siempre   c. tarde
3. deprisa   d. mal
4. bien   e. después

Aciertos: .... **de 4**

2. Di lo mismo.
Sustituye las expresiones marcadas por uno de los adverbios del recuadro.

después	siempre	nunca	pronto	ahora

0. Termina el trabajo y **luego** se acuesta.   *Termina el trabajo y después se acuesta.*
1. **En todo momento** dices que no a las cosas. *Siempre*
2. No puedo ir a verlo **en este momento**. *No puedo ina verlo ahora –*
3. **Jamás** vienes con nosotros al cine. *Nunca vienes con nosotros al cine*
4. Primero voy yo y **luego** entras tú. *Después*
5. No le conozco y **jamás** hablo con él. *Nunca*
6. Está cerca, va a llegar **muy rápido**. *pronto*
7. **Toda la vida** voy a estar a tu lado. *deprisa* *siempre*
8. Espero tu respuesta **rápido**. *pronto*
9. Está en casa **en este momento**, puedes llamarle. *ahora*

Aciertos: .... **de 9**

3. ¿*Ahora* o *anoche*?
Subraya la opción correcta.

0. <u>Ahora</u> / **Anoche** voy a hacerlo.
1. Voy a terminar el trabajo y **luego / ~~tarde~~** salimos juntos.
2. **Pasado mañana / ~~Anteayer~~** voy a ir a la peluquería.
3. Le estamos esperando, llega **tarde / pronto** y no se disculpa.
4. Me tengo que levantar **pronto / ~~ayer~~** para ir a trabajar.
5. **Siempre / Pronto** me regala lo mismo para mi cumpleaños.

Aciertos: .... **de 5**

4. ¿Cuándo?
Completa las frases con las palabras del recuadro.

> mañana
> ahora
> siempre
> pronto
> ~~luego~~

0. Llegas muy ...*pronto*... esta mañana. ¿Es que tienes mucho trabajo?
1. Hoy no tiene cita con el médico. Es *mañana* a primera hora.
2. Lo siento, estoy muy ocupada y ...*ahora*... no puedo atenderle.
3. ¿Puede volver ...*luego*..., por favor? En este momento estoy con un cliente.
4. Juan estudia ...*Siempre*... por la noche hasta muy tarde.

Aciertos: .... **de 4**

5. ¿Por qué?
Relaciona.

0. Salgo muy tarde del trabajo.   *i never get up before*
1. No me levanto nunca antes de las siete.
2. Pasado mañana voy a descansar.   *The other morning I went to*
3. Van a llegar muy pronto.
4. Le gusta mucho la literatura.   *I really like literature*

a. Llegan por fin las vacaciones.
b. No me gusta madrugar.
c. Ya han salido de casa.   *They already left the house*
d. Por eso nunca voy al cine.
e. Siempre está leyendo.

Aciertos: .... **de 4**

6. ¡Qué profesora tan buena!
Ordena las frases.

0. siempre - profesora - puntual - casi - Mi - llega.   *Mi profesora llega puntual casi siempre.*
1. de - humor - Siempre - buen - está.   Siempre de humor está buen
2. con - Casi - nosotros - se - nunca - enfada. ....
3. veces - canciones - clase - en - pone - A - nos. ....
4. claro - habla - Normalmente - despacio - y   Normalmente habla despacio y clar
5. hace - un - al - Solo - examen - mes. ....
6. muy - explica - Generalmente - bien - gramática - la ....

Aciertos: .... **de 6**

7. ¿Con qué frecuencia...?
Ordena las siguientes expresiones de mayor a menor frecuencia.

0. ....1.... siempre
1. ....5.... una vez a la semana
2. ....2.... casi siempre
3. ....6.... dos veces al mes   *a month*
4. ....7.... una vez al año   *x year*
5. ....3.... varias veces al día   *it day*
6. ....9.... nunca
7. ....4.... dos veces al día   *it day*
8. ....8.... casi nunca

Aciertos: .... **de 8**

8. Dos hermanos muy diferentes.
Relaciona.

0. Mi hermano casi siempre llega puntual a su trabajo, yo .... llego puntual.
1. Yo voy al dentista una vez al año, mi hermano va ....F........ .
2. Mi hermano va a ver a los abuelos todos los domingos, yo voy a verlos ....E....... .
3. Yo suelo ir al cine una o dos veces al mes, mi hermano suele ir ....C..... al mes.
4. Mi hermano siempre se lava los dientes antes de acostarse, yo no me los lavo ....b.... x A
5. Yo le regalo flores a mi novia de vez en cuando, mi hermano se las regala ....A x B

a. nunca
b. a menudo
c. varias veces
d. casi nunca
e. un domingo al mes
f. dos veces al año

Aciertos: .... **de**

9. **Encuesta sobre hábitos de los españoles.**
Lee el diálogo y marca verdadero (V) o falso (F).

Encuestador:	¿Tiene dos minutos para contestar a unas preguntas sobre los hábitos de los españoles en el tiempo libre?
Encuestado:	Sí, pero solo dos minutos.
Encuestador:	¿Con qué frecuencia va usted al cine?
Encuestado:	No voy al cine casi nunca. En la tele ponen muchas películas.
Encuestador:	¿Y al teatro?
Encuestado:	Al teatro sí voy a menudo. Por lo menos dos o tres veces al mes.
Encuestador:	¿Suele comer o cenar en restaurantes?
Encuestado:	Suelo comer muchas veces por cuestiones de trabajo, pero ceno pocas veces, una o dos veces al mes.
Encuestador:	¿Va a conciertos de música clásica?
Encuestado:	No, nunca.
Encuestador:	¿Y a otro tipo de conciertos?
Encuestado:	Sí, a veces voy a conciertos de *rock*.
Encuestador:	¿Practica algún deporte?
Encuestado:	Sí, todos los domingos juego al golf con unos amigos. Y de vez en cuando monto a caballo.
Encuestador:	Muchas gracias por su colaboración.
Encuestado:	De nada.

	V	F			V	F
0. Va con mucha frecuencia al cine.	☐	☑	**4.** Nunca va a conciertos de música clásica.	☑	☐
1. Va al teatro todos los meses.	☐	☐	**5.** Va muchas veces a conciertos de *rock*.	☑	☐
2. Come muy pocas veces en restaurantes.	☐	☑	**6.** Juega de vez en cuando al golf.	☐	☐
3. Cena a veces en restaurantes.	☐	☐	**7.** Monta a caballo a menudo.	☐	☐

Aciertos: .... **de 7**

TODO OÍDOS. Escucha el diálogo.

44

Periodista:	Todos tus fans conocen muy bien tus canciones, pero saben muy pocas cosas de ti. Por ejemplo, ¿cómo es un día normal cuando no estás dando conciertos?
Cantante:	Pues hago más o menos lo mismo que todo el mundo. **Casi siempre** me levanto temprano. **A veces** hago un poco de gimnasia **antes de** desayunar. **Después generalmente** trabajo en mi estudio hasta la hora de comer.
Periodista:	¿Te gusta cocinar?
Cantante:	No, **casi nunca** hago yo la comida. Como **muchas veces** en un restaurante cerca de casa.
Periodista:	Bueno, tus fans ya te conocen un poquito más. Muchas gracias y mucho éxito con tu próximo disco.
Cantante:	Gracias a vosotros.

Total de aciertos: .... **de 52**

EVALÚATE

Muy bien   Bien   Regular   Mal

Componentes:

El pretérito imperfecto

23

FORMA	USO
El pretérito imperfecto regular e irregular.	Para describir el pasado y hablar de acciones habituales pasadas.

45

¿Siempre has pasado los veranos aquí?

No. Antes **íbamos** a un apartamento que **teníamos** en la playa. **Era** muy pequeño, pero **estaba** en primera línea de playa.

FORMA

Formación del pretérito imperfecto regular	
Verbos terminados en...	**Imperfecto terminado en...**
-ar	-aba, -abas, -aba, -ábamos, -abais, -aban
-er	-ía, -ías, -ía, -íamos, -íais, -ían.
-ir	

Pretérito imperfecto irregular

	ir	ser	ver
yo	iba	era	veía
tú	ibas	eras	veías
él, ella, usted	iba	era	veía
nosotros, nosotras	íbamos	éramos	veíamos
vosotros, vosotras	ibais	erais	veíais
ellos, ellas, ustedes	iban	eran	veían

Observaciones:
La primera y la tercera persona del singular tienen la misma terminación.

USO

1. Para describir algo o a alguien del pasado.
*Mi casa **estaba** en la playa, **tenía** dos pisos.*

2. Para decir la edad en pasado.
*En 1980 yo **tenía** 10 años.*

3. Para describir acciones o situaciones habituales o cíclicas del pasado. Suele ir acompañado de expresiones de frecuencia: *siempre, casi siempre, a veces, generalmente, nunca...*
*Hace años, por las tardes, mi abuela siempre nos **contaba** cuentos.*
*El año pasado, a veces, **trabajaba** los fines de semana.*

Ejercicios

1. La forma del imperfecto.
Conjuga estos verbos.

	Hablar	Beber	Vivir
yo			
tú	*hablabas*		
él, ella, usted		*bebía*	
nosotros, nosotras			
vosotros, vosotras			
ellos, ellas, ustedes			*vivían*

Aciertos: .... **de 15**

2. ¿De quién habla?
Relaciona.

0. Era muy pequeña y ahora ha crecido mucho.
1. Tenía un llavero muy bonito, pero lo he perdido.
2. En realidad solo quería salir conmigo.
3. Tenía toda la razón del mundo, siempre la tengo.
4. Sabía la verdad, pero no me la quería decir.
5. Antes la veía mucho, pero ahora no sé nada de ella.

a. Yo

b. Él, ella o usted.

Aciertos: .... **de 5**

3. En aquella época, en el pueblo.
Pon los verbos entre paréntesis en pretérito imperfecto.

0. Antes, ...*pasaba*......... (pasar - yo) los veranos en un pueblo de León.
1. El pueblo .... (ser) muy pequeño y .... (tener) muy pocas casas.
2. Nuestra casa .... (ser) pequeña, pero .... (estar) en el centro del pueblo.
3. .... (Conocer - nosotros) a todas las personas del pueblo.
4. .... (Ir - nosotros) muchas veces a bañarnos en el río.
5. .... (Ver - yo) todos los días cosas nuevas y .... (aprender) las tareas del campo.
6. .... (Ser - yo) feliz y me .... (gustar) pasar allí las vacaciones.
7. (Comer - nosotros) .... siempre en el restaurante de la carretera.
8. Mis abuelos .... (trabajar) mucho y no (tener) .... nunca vacaciones.
9. En aquella época .... (tener - yo) menos de 15 años.
10. Una niña del pueblo .... (ser) mi mejor amiga y lo .... (hacer - nosotros) todo juntos.
11. El maestro del pueblo nos .... (dar) clases de repaso durante el verano.
12. En aquella época no .... (haber) ordenadores, pero lo .... (pasar - nosotros) muy bien.

Aciertos: .... **de 19**

Ejercicios

4. El presente y el pasado.
Pon las frases en pretérito imperfecto.

0. No son las cuatro todavía. .... *No eran las cuatro todavía.* ....
1. Vivo en el segundo piso de esta casa. ....
2. Jugamos a las cartas todos los fines de semana. ....
3. Salgo a las cinco de la mañana. ....
4. ¿Adónde vas con Jaime? ....
5. Leen el periódico después de desayunar. ....
6. Es mi último año del instituto. ....
7. Tiene miedo por la noche. ....
8. Cuenta siempre las mismas cosas. ....
9. Vuelve a casa tarde todos los días. ....
10. Van a la discoteca los fines de semana. ....
11. Juega al tenis con sus compañeros de trabajo. ....
12. Tiene el pelo largo y muy moreno. ....

Aciertos: .... de

5. Una entrevista a un famoso.
Clasifica en el cuadro los pretéritos imperfectos marcados.

Describir algo o a alguien	Decir la edad	Relatar acciones habituales
		Vivías en un pueblo de Sevilla.

Entrevistadora: Desde que ganaste el concurso Operación Éxito eres un cantante muy famoso. Pero sabemos muy poco de tu vida anterior. **Vivías** en un pueblo de Sevilla, ¿verdad?
Cantante: Sí, en Écija.
Entrevistadora: ¿Y qué **hacías**? ¿**Trabajabas**?
Cantante: Por las mañanas **ayudaba** a mi padre en la carnicería y algunas tardes **ensayaba** con una orquesta.
Entrevistadora: ¿Con una orquesta?
Cantante: Bueno, en el pueblo **había** una orquesta muy pequeña. **Estaba** formada por tres chicos y tres chicas. Yo **tocaba** con ella en las fiestas de los pueblos y en las bodas.
Entrevistadora: ¿Cuántos años **tenías** en aquella época?
Cantante: Dieciséis.

Aciertos: .... de

6. Después de las vacaciones ha habido algunos cambios en la clase.
Completa con el pretérito imperfecto.

0. Este curso tenemos diez ordenadores, el curso pasado solo .... *teníamos* .... dos.
1. El profesor está más gordo, el curso pasado .... más delgado.
2. Mónica lleva el pelo largo, el curso pasado lo .... corto.
3. Marek tiene, por fin, móvil, el curso pasado no ....
4. Armin ahora vive con unos amigos, el curso pasado .... solo.
5. Tenemos un aula muy grande, el curso pasado .... una pequeña.
6. Hay ocho estudiantes, el curso pasado .... diez.
7. La clase empieza a las 10.00, el curso pasado .... a las 9.00.

Aciertos: .... de

7. Cuando era niña...

Relaciona.

0. Estudiaba poco...
1. En el patio del colegio...
2. Tenía un perro...
3. Escribía poesías...
4. Comía mucho...
5. Me gustaba mucho jugar al tenis...
6. Teníamos un piano en casa...

a. pero estaba muy delgada.
b. que se llamaba Morgan.
c. y casi siempre ganaba los partidos.
d. pero siempre tenía buenas notas.
e. jugaba solo con las niñas.
f. pero yo lo tocaba muy mal.
g. pero solo las leía yo.

Aciertos: .... **de 6**

8. Los aztecas.

Pon los verbos en pretérito imperfecto.

El pueblo azteca ..*vivía*.. (vivir) en Centroamérica. Su capital se .... (llamar) Tenochtitlan, ... (estar) en una isla en medio del lago Texcoco. Solo se .... (poder) llegar a ella en canoa o a través de tres puentes muy estrechos. La ciudad .... (parecer) una especie de Venecia.

Todos los hombres .... (vestir) de blanco y las mujeres .... (llevar) faldas y blusas decoradas. A todos les .... (gustar) adornarse con joyas.

Los aztecas .... (dar) mucha importancia a la higiene. Todo el mundo se .... (bañar) con frecuencia. En la capital .... (haber) muchos baños públicos, pero casi todas las casas particulares .... (tener) uno. La ciudad de Tenochtitlan .... (vivir) su mejor momento por la noche: en muchas casas de familias ricas se .... (preparar) una cena para los invitados, que .... (llegar) a medianoche y se .... (quedar) hasta el amanecer.

Muchas cosas que nosotros comemos actualmente, los aztecas ya las .... (comer): como el chocolate o el chicle. Los aztecas .... (hacer) con el chocolate una bebida fría que les .... (gustar) mucho. Y el chicle lo .... (sacar) de la corteza de un árbol llamado zapote.

Moctezuma fue emperador de los aztecas entre 1502 y 1520. .... (Hablar) en voz muy baja y casi no .... (mover) los labios. .... (Parecer) amable, pero .... (tener) fama de ser muy severo. Cada día se .... (cambiar) cuatro veces de túnica y no se las .... (volver) a poner otra vez. La gente lo .... (saludar) con mucho respeto, pero nunca le .... (mirar - ellos) a la cara.

Aciertos: .... **de 27**

TODO OÍDOS. Escucha el diálogo.

46

■ ¿Qué **hacían** tus padres antes de venir a España?
● Mi padre **trabajaba** en el campo. Unas veces **recogía** fruta y otras **trabajaba** de pastor.
■ ¿Y tu madre?
● Mi madre **vendía** fruta y verdura en la calle.
■ ¿Dónde **vivían**?
● **Vivían** con mis abuelos en un pueblo a unos doscientos kilómetros de Quito.

Total de aciertos: .... **de 99**

EVALÚATE

Muy bien   Bien   Regular   Mal

El imperativo

24

FORMA	USO
Verbos regulares e irregulares.	Para expresar instrucciones, consejos, órdenes y en fórmulas de cortesía.

Mamá, ¿puedo hablar contigo un momento?

Sí, claro, hijo. **Ven**, **siéntate** y **cuéntame**.

FORMA

Imperativo regular

	-ar	-er	-ir	hablar	beber	vivir
tú	-a	-e	-e	habla	bebe	vive
usted	-e	-a	-a	hable	beba	viva
vosotros, vosotras	-ad	-ed	-id	hablad	bebed	vivid
ustedes	-en	-an	-an	hablen	beban	vivan

Observaciones:

1. La persona *tú* se forma quitando la -*s* a la persona *tú* del presente. Y la persona *vosotros / vosotras* se forma sustituyendo la -*r* del infinitivo por una -*d*. No hay excepciones.
*Tú hablas muy poco, **habla** más en clase.*
*Yo no puedo hablar, **hablad** vosotros.*

2. Las irregularidades de la persona *tú* del presente se conservan en el imperativo.
Dormir: tú duermes > ***duerme** (tú)*

Imperativo irregular

Solo hay ocho verbos con imperativo irregular:

	decir	ir	salir	tener	hacer	poner	ser	venir
tú	di	ve	sal	ten	haz	pon	sé	ven
usted	diga	vaya	salga	tenga	haga	ponga	sea	venga
vosotros, vosotras	decid	id	salid	tened	haced	poned	sed	venid
ustedes	digan	vayan	salgan	tengan	hagan	pongan	sean	vengan

El imperativo con pronombres:

Con el imperativo los pronombres van siempre detrás, formando una sola palabra con el verbo.

Con pronombres de objeto indirecto:	*El niño tiene hambre. **Cómprale** un bocadillo.*
Con pronombres de objeto directo:	*Esta falda es muy bonita. **Cómprala**.*
Con pronombres indirectos y directos:	*Me gusta este coche. **Cómpramelo**.*
Con pronombres reflexivos:	***Lávate** la cara.*

Observaciones:

Desaparece la -*d* final de la forma *vosotros / vosotras* cuando sigue el pronombre *os*.
Lavad + os = lavaos **Lavaos** la cara.

USO

1. Se utiliza para dar instrucciones.
*Siga por esa calle y después **gire** a la derecha.*

2. También para dar consejos.
*Beba dos litros de agua al día y **coma** mucha fruta y verdura.*

3. Para llamar la atención de alguien.
*Oye, ¿qué haces? **Perdona**, ¿tienes hora?*

4. Para empezar una explicación (en el habla coloquial).
Mira, te lo voy a explicar.

Ejercicios

1. *Tú* y *vosotros*.
Forma el imperativo con las dos personas.

0. Conducir más despacio. ....*Conduce, conducid más despacio.*............

1. Cerrar la puerta de la casa. ....

2. Escribir la carta a tu hermana. ....

3. Encender la luz de la habitación. ....

4. Pronunciar bien las palabras. ....

5. Beber toda el agua. ....

6. Despertar a los niños. ....

7. Pensar otro ejemplo. ....

8. Traer algo de postre. ....

9. Mover las cosas de lugar. ....

10. Jugar con los compañeros. ....

Aciertos: .... **de 10**

2. *Usted* y *ustedes*.
Transforma según el modelo.

0. Tiene que trabajar mucho más. ....*Trabaje mucho más.*............

1. Tienen que dormir por la noche. ....

2. Tiene que hablar más alto. ....

3. Tienen que escribir un cuento. ....

4. Tiene que revisar el trabajo. ....

5. Tienen que leer el periódico. ....

Aciertos: .... **de 5**

3. ¡A la orden!
Da la orden en plural.

0. Contesta al teléfono. ....*Contestad al teléfono.*............

1. Escribe una carta a tu madre. ....

2. Juegue con su hijo. ....

3. Pide al camarero una bebida. ....

4. Duerme en otro cuarto. ....

5. Dé dinero a los pobres. ....

6. Repita la frase anterior. ....

7. Compre un regalo. ....

8. Empieza a comer ahora mismo. ....

9. Sigue cantando esa canción. ....

10. Estudie para el examen. ....

Aciertos: .... **de 10**

4. Hazlo tú.
Completa la frase en imperativo en la forma *tú*.

0. (Hacer) *Haz* .... las camas, por favor.

1. (Tener) .... cuidado.

2. (Decir) .... siempre la verdad.

3. (Salir) .... de la habitación ahora.

4. (Ser) .... bueno.

5. (Poner) .... la tele en voz baja.

6. (Decir) .... tu nombre y tus apellidos.

7. (Venir) .... con nosotros a la fiesta.

8. (Hacer) .... deporte cada día.

9. (Ser) .... amable con tus abuelos.

10. (Ir) .... al médico, no estás bien.

Aciertos: .... **de 1**

5. Hacedlo vosotros.
Pon en plural las frases.

0. Piensa una idea mejor. — *Pensad una idea mejor.*

1. Haz más ejercicios gramaticales. ....

2. Pon atención en el trabajo. ....

3. Para el coche en esa esquina. ....

4. Pregunta el nombre a ese señor. ....

5. Ven a mi casa luego. ....

6. Sal de casa a las diez. ....

7. Di algo interesante. ....

8. Sé fuerte. ....

9. Ven a vernos el próximo domingo. ....

Aciertos: .... **de 9**

6. El tráfico.
Relaciona las instrucciones con las señales de tráfico. Después escríbelas en imperativo en la forma *tú*.

0. Pasar con cuidado. **1.** Girar a la derecha. **2.** Parar. **3.** Usar el cinturón. **4.** Encender las luces.

a. ....

b. ....

c. *Pasa con cuidado.*

d. ....

e. ....

Aciertos: .... **de**

7. En el nuevo piso.
Completa con imperativo y pronombres.

0. ● ¿Dónde dejo estos libros?
   ○ (Poner - tú) *Ponlos* en esa estantería.

1. ● ¿Qué hago con esta silla?
   ○ (Dejar - tú) .... al lado del sofá.

2. ● ¿Cuelgo este cuadro aquí?
   ○ No, allí no. (Colgar - tú) .... encima de la chimenea.

3. ● ¿Guardo los abrigos en ese armario?
   ○ No. (Guardar - tú) .... en este armario.

4. ● ¿Qué hago con este jarrón?
   ○ (Colocar - tú) .... con cuidado al lado de la lámpara.

5. ● ¿Cambio este sofá de sitio?
   ○ Sí, (cambiar - tú), ... está mejor allí.

Aciertos: .... **de**

8. ¿Qué a quién?

Marca la frase a la que se refieren los pronombres.

0. Escríbesela.
- ☐ Escribe el informe a tu amiga.
- ☑ Escribe la carta a tu hermana.
- ☐ Escribe el ejercicio a tu compañero de clase.

1. Lávatelos.
- ☐ Lávate las manos.
- ☐ Lava las manos al niño.
- ☐ Lávate los dientes.

2. Tráemela.
- ☐ Trae el pan a mi casa.
- ☐ Trae la película a tu casa.
- ☐ Trae la película a mi casa.

3. Enviádselos.
- ☐ La carta a vuestros padres.
- ☐ Las flores a vuestras novias.
- ☐ Los correos a vuestros amigos.

4. Dánoslo.
- ☐ Da el regalo a nosotros.
- ☐ Da las gracias a nosotros.
- ☐ Da los libros a nosotros.

5. Comprádsela.
- ☐ Comprad a ella las flores.
- ☐ Comprad a ella la falda.
- ☐ Comprad a ellas el regalo.

Aciertos: .... **de 5**

9. Ensalada de pollo y naranja.

Completa con imperativos en la forma *tú* y con el pronombre en caso necesario.

Ingredientes (4 personas)
- 400 g de pollo.
- 1 lechuga.
- 2 naranjas.
- 2 nueces.
- 1 yogur.
- 4 cucharadas de aceite.
- 2 cucharadas de vinagre de manzana.
- Sal y pimienta blanca.

Preparación

0. (Pelar) ..*Pela*.. las naranjas y (cortar) *córtalas* en pequeños trozos.

1. (Mezclar) .... un poco de zumo de naranja con el yogur, el aceite y el vinagre. (Añadir) .... la sal y la pimienta.

2. (Lavar) .... bien la lechuga y (secar) .... (Echar) .... la salsa de naranja por encima.

3. (Calentar) .... el aceite de oliva. (Cortar) .... el pollo y (freír) .... unos seis minutos. (Añadir) .... a la ensalada y (poner) .... las nueces cortadas por encima.

Aciertos: .... **de 10**

TODO OÍDOS. Escucha el diálogo.

Este es el contestador automático de María Sánchez Avilés. Por favor, deje su mensaje.

1. Hola, María. Sé que estás en casa. **Coge** el teléfono. Tengo que contarte algo muy importante.

2. Hola, hija, soy mamá. **Llámame** o **ven** a comer mañana conmigo.

3. Este es un mensaje para doña María Sánchez Avilés. Por favor, **póngase** en contacto con nosotros en el número 91 3522761.

4. María, **despierta**, ya son las ocho. **Recuerda** que hoy hay que llevar el diccionario a clase.

5. Hola, María, soy yo. **Tráeme** esta tarde el libro que te pedí el otro día. Gracias.

Total de aciertos: .... **de 68**

EVALÚATE

Muy bien Bien Regular Mal

Las oraciones sustantivas

25

FORMA	USO
Decir, creer, preguntar... + *que / si* + indicativo.	Para expresar la opinión y para transmitir las palabras de otra persona.

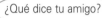

¿Qué dice tu amigo?

Pregunta si quieres venir con nosotros a la discoteca.

FORMA

Regla general: Se forman con un verbo de opinión, de habla o una expresión de constatación + *que* + un verbo en indicativo.
Creo que es verdad. *Dice que* viene mañana. *Está demostrado que* el clima está cambiando.

Verbo principal	Verbo subordinado	Ejemplos
Verbos de pensamiento u opinión: *pensar, creer, opinar, parecerle* (a alguien)	**QUE + indicativo** **SI + indicativo** (con preguntas)	*¿Piensas que* está estudiando? *Creo que sí* (está estudiando). *Opino que* es un buen chico. (A mí) *me parece que* es un buen chico.
Verbos de habla: *decir, explicar, afirmar, contestar, responder, contar, preguntar*		*Dice que* tiene un coche nuevo. *Explicaron que* lo vieron todo. *Afirma que* sabe la respuesta. *Nos contó que* tuvieron un accidente. *Pregunta si* vas a venir esta noche. *Contesta que* no lo sabe.
Expresiones para constatar hechos: *es verdad / cierto / evidente / seguro está claro / visto / demostrado*		*Es verdad que* las casas en Madrid son muy caras. *Está claro que* no tenemos dinero.

USO

1. Para expresar la opinión.
Yo creo que esto es muy interesante.
Me parece que todavía no ha llegado.

2. *Dice que, afirma que, pregunta si, responde que...* se utilizan para reproducir o transmitir las palabras de alguien. Es el llamado *estilo indirecto*.
El profesor dice que mañana no hay clase.

Al reproducir las palabras de alguien pueden producirse los siguientes cambios:

Yo / Tú / Nosotros	El / Ella / Yo / Ellos
Yo soy la profesora.	*Dice que ella* es la profesora.
¿Tú sabes hablar chino?	*Pregunta (que) si yo* sé hablar chino.
Nosotros no somos españoles.	*Dicen que ellos* no son españoles.

Me / Te / Nos	Le / Me / Les
Me gusta la ópera.	*Dice que le* gusta la ópera.
Te espero a la salida.	*Dice que me* espera a la salida.
Nos escriben cartas.	*Dicen que les* escriben cartas.

Aquí	Allí
Aquí estoy muy bien.	*Dice que allí* está muy bien.

Mi / Mío / Tu / Tuyo / Nuestro	Su / Suyo / Mi / Mío / Nuestro
Este es mi coche.	*Dice que este es su* coche.
Este libro es tuyo.	*Dice que este libro es mío.*
Nuestro hijo estudia Medicina.	*Dicen que su* hijo estudia Medicina.

Este	Este / Ese / Aquel
Este bolígrafo no funciona.	*Dice que ese* bolígrafo no funciona.

Ir / Venir / Traer / Llevar	Venir / Ir / Llevar / Traer
Mañana voy a tu casa y te *llevo* el CD.	*Dice que mañana viene* a mi casa y me *trae* el CD.

Ejercicios

1. Expresando opiniones.
Pon el verbo entre paréntesis en el tiempo y la persona adecuados.

0. Mi hijo piensa que ....*tengo*........ (tener - yo) un regalo para él.

1. Creo que mis padres .... (llegar) esta noche.

2. Me parece que .... (ir) a llover mucho este fin de semana.

3. Pienso que Miguel .... (hacer) bien en cambiar de trabajo.

4. ¿Crees que .... (tener - nosotros) posibilidades de aprobar?

5. ¿Os parece que esa chica .... (ser) la novia de Ramón?

6. Mis padres opinan que no .... (deber - nosotros) salir esta noche.

7. Creemos que .... (decir - él) la verdad y que no...................... (mentir).

8. Opino que .... (haber) que dar una oportunidad a todos.

Aciertos: .... **de 9**

2. Estilo indirecto.
Transforma las frases según el modelo.

0. "Sueña con ir a España".   Dice....*que sueña con ir a España.*.....

1. "Sé lo que cuesta".   Afirma...

2. "Toma un zumo de naranja cada mañana".   Explica...

3. "Me gustan mucho las películas de amor".   Dice...

4. "Se cayó y se rompió la pierna".   Cuenta...

5. "¿Salen a cenar fuera esta noche?".   Pregunta...

6. "Esta tarde voy a ver una película española".   Dice ....

7. "Decidió cambiar de casa y se fue al centro".   Afirma...

8. "No sabe dónde está el paraguas".   Dice...

Aciertos: .... **de 8**

3. Expresiones para constatar hechos.
Marca la respuesta correcta.

0. Es .... que vamos a pasar las vacaciones en tu casa.
     ☑ seguro   ☐ demostrado

1. Es .... que las cosas no son así.
     ☐ evidente   ☐ claro

2. Es .... que todos están preocupados.
     ☐ demostrado   ☐ evidente

3. Está .... que la dieta mediterránea es buena para la salud.
     ☐ verdad   ☐ demostrado

4. Está .... que siempre llueve en esta zona del país.
     ☐ seguro   ☐ visto

5. Está .... que te gusta mucho la playa.
     ☐ evidente   ☐ claro

6. Está .... que esto es peligroso.
     ☐ cierto   ☐ demostrado

Aciertos: .... **de 6**

4. ¿Qué te dicen?
Cambia al estilo indirecto.

0. Tu hermana viene hoy.
   Dice que mi hermana viene hoy.
   ....

1. ¿Dónde están las llaves de nuestro coche?
   ....

2. Esta foto es de mi madre.
   ....

3. Te he comprado un regalo.
   ....

4. ¿Dónde trabaja tu marido?
   ....

5. Me levanto a las siete.
   ....

6. ¿Cuándo te llamo por teléfono?
   ....

7. No tengo tiempo para ayudarte a hacer la traducción
   ....

8. ¿Nos invitas a tu fiesta de cumpleaños?
   ....

9. Me parece muy buena vuestra profesora.
   ....

10. Este jersey me gusta mucho.
    ....

11. Mañana voy a vuestra clase y os llevo los libros.
    ....

Aciertos: .... **de 1**

5. Mensajes en el móvil. Cuéntaselos a un amigo.
Cambia al estilo indirecto.

0
Mañana voy a tu casa y te llevo el libro de Historia.
Julián

1
¿Dónde está la embajada de Polonia?
Marek

2
Tengo una reunión, no puedo verte esta tarde.
Isabel

3
¿Puedes llamar a Pablo? Yo no tengo su teléfono.
Jesús

4
Esta tarde voy a un concierto de piano. ¿Vienes?
Cristina

5
Mañana no tienes clase.
Ana

0. *Julián dice que mañana viene a mi casa y me trae el libro de Historia.*
1. ....
2. ....
3. ....
4. ....
5. ....

Aciertos: .... **de**

6. La postal de Haruaki.
Cambia al estilo indirecto.

Querido Enrique:

Te escribo desde Salamanca. Estoy estudiando español en la universidad. Me gustan mucho las clases, los profesores son muy buenos y nos explican todo muy bien.

La ciudad es muy bonita y la gente nos trata muy bien. Pero hay una cosa que no me gusta mucho: la comida. No me acostumbro a los nuevos sabores

Otro día te escribo y te cuento más cosas.

Un saludo,

Haruaki

Salamanca
Vista aérea
Vue aérienne
Aerial view
Luftansicht

La postal de
La carte pos
The friends
Die Freundso
O postal de an
Vänskapers s
Vriendelyke g
Oktritka druck
La cartolina de
La postkarto

Enrique López Castro

C/ Miguel de Cervantes, 3

28041 Madrid

ESPAÑA

CORREOS

**0,29€

Haruaki me escribe desde Salamanca. Me dice que ....

....

....

....

....

Aciertos: .... **de 11**

TODO OÍDOS. Escucha el diálogo.

50

- Mira, un correo de Chema.
- ¿Y qué dice?
- **Dice que** ahora está en otra empresa, **que** gana más dinero y **que** el trabajo es muy interesante.
- ¿Pregunta por mí?
- Sí, me **pregunta si** piensas escribirle algún día.
- Oye, si te parece, le escribimos un correo juntas.
- ¿Por qué no?

Total de aciertos: .... **de 50**

EVALÚATE

| Muy bien | Bien | Regular | Mal |

Las oraciones de relativo

FORMA	USO
Los relativos *que* y *donde*.	Para unir oraciones que dan información sobre algo o alguien, o sobre un lugar.

51

¿En qué cine ponen la película **que** me recomendaste ayer?

En el cine **donde** vimos la película de Saura.

FORMA

Regla general: Las oraciones de relativo se forman con *que* y con *donde*. Estas palabras son invariables para masculino, femenino, singular o plural.

La <u>mujer</u> **que** conocí ayer es escritora.
El <u>hombre</u> **que** conocí ayer es escritor.
Las <u>maletas</u> **que** perdí ya han aparecido.
La <u>frutería</u> **donde** compro es muy cara.
El <u>armario</u> **donde** puse las joyas está cerrado con llave.

Las oraciones de relativo			
Sustantivo (persona, animal o cosa)	**+ que**	+ indicativo	La <u>mujer</u> **que** conocí ayer es escritora. Los <u>libros</u> **que** estoy comprando son novelas.
Sustantivo (lugar)	**+ donde**		El <u>pueblo</u> **donde** nací está al norte de España.

USO

Las oraciones de relativo:

Sirven para dar una información detallada sobre algo o alguien y sobre un lugar.
La chica **que** <u>está hablando con el profesor</u> se llama Carolina.
La casa **donde** <u>vivo</u> no tiene ascensor.

El relativo QUE se utiliza para:

1. Identificar a la persona, el animal o la cosa de los que estamos hablando.
- *Los libros son novelas.*
- *¿Qué libros?*
- *Los libros **que** estoy comprando.*

2. Definir o describir al sustantivo.
- *¿Qué es un flamenco?*
- *Es un pájaro **que** tiene plumas rosas.*

El relativo DONDE se utiliza para:

1. Identificar el lugar del que estamos hablando.
- *La semana próxima nos vamos a la playa.*
- *¿A qué playa?*
- *A la playa **donde** veraneamos todos los años.*

2. Definir o describir un lugar.
- *¿Qué es un restaurante?*
- *Es un lugar **donde** sirven comidas y bebidas.*

Ejercicios

1. ¿Cuál?
Completa las frases con *que* o con *donde*.

0. El cuchillo ....*que*........ corta bien está en el cajón.
1. La sala .... estudio música está en el tercer piso.
2. La secretaria .... lleva la contabilidad no está en su despacho.
3. El apartamento .... vivo es un poco pequeño.
4. El hotel .... estuvimos en julio está en la zona de la playa.
5. El conductor .... provocó el accidente no paró para ayudar.
6. El cocinero .... trabaja en este restaurante tiene muchos premios internacionales.
7. La empresa .... trabaja mi padre es una multinacional.
8. La biblioteca .... están los libros más antiguos es la Nacional.
9. La joven .... te presenté es la hija del jefe.

Aciertos: .... de 9

2. En una sola frase.
Une las dos frases con *que* o con *donde*.

0. Tengo un amigo. Busca trabajo. .... *Tengo un amigo que busca trabajo.* ....
1. He comprado un libro. Es sobre Velázquez. ....
2. Estuve en una fiesta. Conocí a una chica muy guapa. ....
3. Vi una película. Me gustó mucho. ....
4. Conozco un río. Nos podemos bañar. ....
5. Paco me presentó a un amigo. Es inglés. ....
6. Estuvimos en una plaza. Hay un monumento muy grande. ....
7. Tengo un libro. Explica la gramática muy bien. ....
8. Trabajo en una empresa. Hay posibilidades de promoción. ....
9. Leo un periódico. Sale una vez a la semana. ....
10. Vivo en un país. La gente es muy amable y divertida. ....
11. Conozco un restaurante. Se come muy bien. ....

Aciertos: .... de 11

3. Describir un lugar.
Une las dos frases utilizando *donde*.

0. Visité una vieja casa de campo. En esa casa vivieron mis abuelos.
   .... *Visité una vieja casa de campo donde vivieron mis abuelos.* ....
1. Mi hermana trabaja en una farmacia. En esa farmacia venden medicinas naturales.
   ....
2. Siempre desayuno en una cafetería del centro. En esa cafetería veo a mucha gente famosa.
   ....
3. Mi tía Anunciación vive en una casa con jardín. En el jardín tiene muchas plantas tropicales.
   ....
4. Mi abuelo tiene una caja muy antigua. En esa caja guarda fotos de su juventud.
   ....
5. Algunos compañeros de clase viven en un barrio. En el barrio no hay metro.
   ....
6. El meteorito cayó en la calle. En esa calle vive Alejandro.
   ....

Aciertos: .... de 6

4. Test de relativos.

Marca la respuesta correcta.

0. ¿Cuál es la película de Amenábar .... más te gustó? ☑ que ☐ donde

1. ¿Me acompañas a la tienda .... me compré los zapatos de la boda? ☐ que ☐ donde

2. ¿Podemos ver los cuadros .... te regalaron? ☐ que ☐ donde

3. ¿Vas a ir a la universidad .... estudiaron tu padre y tu abuelo? ☐ que ☐ donde

4. ¿Cuál es la montaña .... se perdieron los excursionistas? ☐ que ☐ donde

5. ¿Ese es el perro .... te mordió en la pierna? ☐ que ☐ donde

Aciertos: .... **de 5**

5. Las definiciones. ¿Qué es?

Responde a las preguntas como en el modelo.

0. ¿Qué es un restaurante? (Un lugar. Sirven comidas y bebidas).
   Un restaurante es un lugar donde sirven comidas y bebidas.

1. ¿Qué es un triciclo? (Un vehículo. Tiene tres ruedas, es para niños).
   ....

2. ¿Qué es un sacacorchos? (Un objeto. Sirve para abrir botellas).
   ....

3. ¿Qué es una gabardina? (Un abrigo. La usamos los días de lluvia).
   ....

4. ¿Qué es un adverbio? (Una parte de la oración. Modifica al verbo).
   ....

5. ¿Qué es un estanco? (Un lugar. Compramos sellos).
   ....

6. ¿Qué son unas castañuelas? (Un objeto de música. Sirven para tocar y bailar canciones populares).
   ....

Aciertos: .... **de 6**

6. Algunos oficios y profesiones.

Relaciona y completa las definiciones como en el modelo.

0. Carpintero.   a. Atiende a los pasajeros de un avión. ....

1. Profesor.   b. Prepara la comida. ....

2. Médico.   c. Conduce aviones. ....

3. Veterinario.   d. Cuida y vigila un edificio. ....

4. Abogado.   e. Cura a los animales. ....

5. Traductor.   f. Defiende a sus clientes en los juicios. ....

6. Cocinero.   g. Dibuja los planos de las casas. ....

7. Arquitecto.   h. Enseña en un colegio. ....

8. Piloto.   i. Hace muebles. *El carpintero es la persona que hace muebles.*

9. Portero.   j. Trabaja en un hospital. ....

10. Azafata.   k. Traduce textos de una lengua a otra. ....

Aciertos: .... **de**

7. El circo.

Completa las frases que dice este presentador.

Señoras y señores, niños y niñas, bienvenidos al maravilloso mundo del circo, el lugar _donde se cumplen todos sus sueños_ $_0$ Prepárense para ver a los malabaristas ...., al mago $_2$ .... y el sombrero $_3$ ...., la cuerda a 20 metros de altura $_4$ ...., el domador $_5$ .... y, por supuesto, a los payasos $_6$ .... Pero también tenemos animales $_7$ ....: las focas $_8$ ...., el oso $_9$ ...., el tigre $_{10}$ .... o el elefante $_{11}$ .... Entren al circo, señores, entren.

domador

focas

oso

payasos

malabaristas

elefante

tigre

cuerda

mago

a. donde se cumplen todos sus sueños
b. que juegan con las pelotas
c. que va en bicicleta
d. donde todo vuelve a aparecer
e. que hacen las mismas cosas que las personas
f. que nos hacen reír a todos
g. que hace desaparecer cualquier cosa
h. que no tiene miedo a los leones
i. que pasa por un círculo de fuego
j. donde va a caminar nuestro equilibrista
k. que hacen juegos malabares
l. que juega con su trompa

Aciertos: .... **de 11**

TODO OÍDOS. Escucha el diálogo.

52

Profesor: ¿Tenéis alguna pregunta antes de leer el texto?
Alumna: Sí, ¿qué es un _kiosco_?
Profesor: Es un lugar **donde** puedes comprar periódicos y revistas.
Alumna: Gracias.
Profesor: ¿Más preguntas?
Alumno: Sí. ¿Qué son unas _zapatillas_?
Profesor: Son zapatos **que** se usan para estar en casa.
Alumno: Gracias.
Profesor: ¿No hay más preguntas? Tenéis quince minutos para responder a las preguntas **que** están al final del texto.

Total de aciertos: .... **de 58**

EVALÚATE

Muy bien   Bien   Regular   Mal

Las oraciones temporales

FORMA	USO
Antes de y *después de* + infinitivo. *Desde que* + indicativo y *desde hace* + cantidad de tiempo.	Para indicar el momento en que ocurre una acción.

53

Antes de vivir aquí, ¿dónde vivías?

Desde que llegué a la ciudad, hace cuatro años, siempre he vivido aquí.

FORMA

Las oraciones temporales		
Antes de + infinitivo		*Siempre me ducho **antes de** acostarme.*
Después de + infinitivo		*Leo el periódico **después de** desayunar.*
Desde	**+ que** + indicativo	*Te estoy buscando **desde que** llegué.*
	+ hace + cantidad de tiempo	*Trabajo aquí **desde hace** dos meses.*

USO

Antes de + infinitivo:

1. Presenta una acción como anterior a otra.
   Antes de empezar a trabajar, me tomo dos cafés.

2. El sujeto de las dos oraciones es el mismo.
   *Siempre me ducho (yo) **antes de** acostarme (yo).*

Después de + infinitivo:

1. Presenta una acción como posterior a otra.
   Después de casarnos, nos fuimos a vivir a Chile.

2. El sujeto de las dos oraciones es el mismo.
   *Leo el periódico (yo) **después de** desayunar (yo).*

Desde:

1. Con *que* presenta una acción como el inicio de otra.
   Desde que te fuiste no he dejado de pensar en ti.

2. Con *hace* expresa la duración de una acción empezada en el pasado.
   *Estudio español **desde hace** un año.*

3. *Desde hace* + cantidad de tiempo también puede expresarse como *hace* + cantidad de tiempo + *que*.
   *Trabajo aquí **desde hace** dos meses. = **Hace** dos meses **que** trabajo aquí.*

Ejercicios

1. ¿Cuándo?
Transforma la frase según el modelo.

0. Termino el trabajo y me acuesto. — *Después de terminar el trabajo, me acuesto.*
1. Hicimos la paella y nos sentamos a comer. ....
2. Compro unas frutas y me voy a casa. ....
3. Ceno y leo el periódico. ....
4. Habló con ella y empezó a llorar. ....
5. Sale de clase y va a trabajar. ....
6. He visto la foto y lo he reconocido. ....
7. He lavado la ropa y la he planchado. ....

Aciertos: .... de 7

2. Hazlo en ese momento.
Transforma la frase según el modelo.

0. Tómate esta pastilla y vete a la cama. — *Antes de irte a la cama, tómate esta pastilla.*
1. Ordena tu habitación y ve la tele. ....
2. Poneos un abrigo y salid a la calle. ....
3. Lee la receta y prepara este plato. ....
4. Cambiad las sábanas y haced vuestras camas. ....
5. Pregunta si hay habitaciones libres y haz una reserva. ....
6. Compra varios botes de pintura y pinta el salón. ....
7. Poned el nombre y dadme el examen. ....

Aciertos: .... de 7

3. ¿*Desde hace* o *desde que*?
Completa las frases.

0. Siempre llego más temprano .... *desde que* .... tengo moto.
1. No sé nada de Pedro .... varios meses.
2. Estoy buscando las llaves .... llegué de la calle.
3. Trabaja en el proyecto .... entró en la empresa.
4. Creo que me está esperando en casa .... horas.
5. Vive en el extranjero .... tiempo.
6. .... se ha levantado, no se encuentra bien.
7. Se separaron definitivamente .... supieron la verdad.
8. He perdido la conexión a Internet .... dos días.

Aciertos: .... de 8

4. Diciendo lo mismo.
Transforma la frase según el modelo.

0. Estoy aquí desde hace dos horas. ...... *Hace dos horas que estoy aquí.* ......

1. Estoy viendo la televisión desde hace una hora. ....

2. Observo lo que pasa en la casa desde hace tiempo. ....

3. Estás comiendo desde hace dos horas. ....

4. Estoy trabajando desde hace mucho tiempo. ....

5. Está muy mal desde hace unos días. ....

Aciertos: .... **de 5**

5. Una de las dos.
Subraya la opción correcta.

0. <u>Hace</u> / **Desde hace** cinco años que no le veo.

1. Estudio ruso **hace / desde que** llegué a Moscú.

2. Estoy ordenando el despacho **desde que / desde hace** más de tres horas.

3. Siempre me lavo lo dientes **antes de / desde que** acostarme.

4. Trabajo de camarero **desde que / desde hace** cinco años.

5. Sé conducir **desde que / desde hace** tengo veinte años.

6. No puedo dormir **desde que / desde hace** tres noches.

7. Podemos ir al cine **después de / desde que** cenar.

8. Estudia inglés **desde hace / desde que** salió de la escuela primaria.

9. **Antes de / Desde que** entrar en casa, recoge el correo de su buzón.

Aciertos: .... **de 9**

6. Cada cosa en su momento.
Relaciona.

0. Hace   **a.** estar aquí varios días, se fue a ver a sus padres.

1. Desde hace   **b.** llegué, estoy trabajando.

2. Desde   **c.** que nos vimos la última vez, no es el mismo.

3. Antes de   **d.** tiempo que no lo veo.

4. Desde que   **e.** tres horas te estoy esperando.

5. Después de   **f.** venir, hice la compra.

Aciertos: .... **de 5**

7. Test de las temporales.
Marca la opción correcta.

0. Nunca me acuesto inmediatamente .... cenar.

☐ desde hace   ☐ hace   ☑ después de   ☐ desde que

1. Vivo en este apartamento .... llegué a Barcelona.

☐ desde hace   ☐ hace   ☐ después de   ☐ desde que

2. .... un momento que se ha ido. Vuelva usted mañana.

☐ Desde hace   ☐ Hace   ☐ Después de   ☐ Antes de

3. Es un examen muy importante, así que leed bien las preguntas .... responderlas.

☐ desde hace   ☐ hace   ☐ después de   ☐ antes de

4. ¡Hola, Juan! No nos vemos .... dos años por lo menos.

☐ desde hace   ☐ hace   ☐ después de   ☐ desde que

5. No ha llovido .... empezó el año.

☐ desde que   ☐ desde hace   ☐ antes de   ☐ después de

6. Me gusta ver una película en DVD todas las tardes .... comer.

☐ desde hace   ☐ hace   ☐ después de   ☐ desde que

7. Se ha perdido. Se fue de excursión a la montaña y no ha llamado .... cuatro horas.

☐ desde que   ☐ desde hace   ☐ después de   ☐ hace

Aciertos: .... **de 7**

8. Se nota la diferencia.
Completa las frases de esta entrevista con las expresiones del recuadro.

desde hace	antes de	<u>hace</u>	desde que	después de

Entrevistador: *Revive* es un complejo de vitaminas que le ayuda a estar mejor. Con *Revive* se nota la diferencia, ¿verdad? ¿ *Hace* .... mucho tiempo que toma *Revive*?

Entrevistado: No, solo lo tomo$_1$ .... un mes.

Entrevistador: ¿Y nota ya la diferencia?

Entrevistado: Sí, claro.$_2$ .... tomar *Revive* estaba siempre cansado.$_3$ .... trabajar no tenía ganas de hacer nada, ni ir al gimnasio, ni jugar con mis hijos...

Entrevistador: ¿Y ahora?

Entrevistado: .... $_4$ tomo *Revive* me siento mucho mejor, tengo un plus de energía.

Entrevistador: Ya lo oye. Mucha gente ya toma *Revive*, y lo nota. Pásese usted también a *Revive*.

Aciertos: .... **de 4**

TODO OÍDOS. Escucha el diálogo.

MARCOS: Hola, Pepa. ¡Cuánto tiempo sin vernos!

PEPA: Sí, es verdad, por lo menos **hace** dos o tres años **que** no nos vemos. **Desde que** te fuiste a vivir a Barcelona. ¿Y qué tal te va?

MARCOS: Al principio lo pasé fatal, pero **desde que** me cambié de trabajo **hace** un año, mucho mejor. ¿Y a ti? ¿Cómo te va?

PEPA: Bastante bien. ¿Recuerdas que trabajaba de cajera en un banco?

MARCOS: Sí, claro.

PEPA: Pues **después de** estar seis años de cajera y **después de** terminar la carrera y hacer un máster ahora soy la subdirectora.

MARCOS: ¿Qué me dices? ¡Cuánto me alegro!

Total de aciertos: .... de 52

EVALÚATE

Muy bien   Bien   Regular   Mal

Las oraciones causales, finales y consecutivas

28

FORMA	USO
Porque, por qué y *es que* + indicativo. *Para* + infinitivo. *Así que* + indicativo.	Para expresar la causa, la finalidad y los efectos de una acción.

55

¿**Por qué** no viniste ayer a la reunión?

Es que tuve que ir al médico **para** hacerme unos análisis.

FORMA

Regla general: | **Porque** expresa la causa, **para** expresa la finalidad y **así que** expresa la consecuencia.

Estudio español **porque** me gusta.
Estudio español **para** ser profesor en mi país.
Estudio mucha gramática, **así que** aprendo bien la lengua.

La oración causal	
Preguntar por la causa	
¿Por qué?	¿**Por qué** te quedas en casa?
Responder y explicar la causa	
Porque + indicativo	**Porque** tengo que estudiar.
Es que + indicativo	**Es que** tengo que estudiar.
Por + sustantivo o pronombre	Lo hizo **por** dinero. Lo hizo **por** él.
Como + indicativo	**Como** tengo sueño, me voy a dormir.
La oración final	
Preguntar por la finalidad o el objetivo de hacer algo	
¿Para qué + indicativo?	¿**Para que** llamaste a la profesora?
Responder y explicar la finalidad	
Para + infinitivo	Llamé a la profesora **para** invitarla a la fiesta.
La oración consecutiva	
Expresar la consecuencia o el efecto de una acción	
Así que + indicativo	Tengo que estudiar, **así que** me quedo en casa.

USO

1. Las oraciones causales expresan el motivo de una acción. El conector más utilizado es **porque** y normalmente va en medio de la frase.
*¿Por qué estás contento? Pues estoy muy contento **porque** me han dado una buena noticia.*

2. **Como** expresa que una situación es la causa de algo. Va siempre al inicio de la frase.
***Como** hay una película muy buena en la tele, esta noche no voy a salir.*

3. Las oraciones finales expresan el objetivo, lo que se quiere conseguir de una acción. También expresan la utilidad de un objeto.
  ● *¿Para qué haces las maletas?* ● *¿Para qué es esto?*
  ■ ***Para** irme de viaje.* ■ ***Para** abrir latas.*

4. Las oraciones consecutivas expresan las consecuencias, los efectos de una acción.
*No me ha escrito, **así que** no sé cómo está.*

Las oraciones causales, finales y consecutivas

1. Todo tiene una explicación.
Relaciona.

0. No has aprobado el examen.
1. ¿Por qué estás tan contenta?
2. ¿Por qué te despiertas siempre tarde?
3. Tienes el pelo muy largo.
4. Vas muy poco a visitar a los abuelos.
5. ¿Por qué no comes algo?
6. ¿Por qué no me dijiste la verdad?
7. Siempre compras el pan aquí.
8. ¿Por qué estás tan triste?

a. Es que no tengo tiempo de ir a la peluquería.
b. Porque no tengo hambre.
c. Porque se ha escapado el loro.
d. Es que viven muy lejos.
e. Es que el profesor es muy exigente.
f. Porque, por fin, he terminado de escribir el libro.
g. Es que aquí tienen mucha variedad de panes.
h. Porque nunca oigo el despertador.
i. Porque podías enfadarte.

Aciertos: .... **de 8**

2. ¿Como o porque?
Completa la frase.

0. ......*Ø*...... no te pude mandar el correo ..*porque*.......... el ordenador no funcionaba.
1. .... no tenía tu número de teléfono .... no pude llamarte anoche.
2. .... tiene mucho dinero .... le van muy bien los negocios.
3. .... estoy bastante cansada .... no voy a salir esta noche.
4. .... me voy a tomar una aspirina .... me duele mucho la cabeza.
5. .... no ha ido hoy a clase .... tiene fiebre.
6. .... me ha tocado la lotería .... voy a invitar a cenar a toda la clase.

Aciertos: .... **de 6**

3. Todo tiene una consecuencia.
Une las frases con *así que*.

0. Está lloviendo. No salgo de casa hoy.

Está lloviendo, así que no salgo de casa hoy.

1. Ya han venido los invitados. Vamos a comer. ....
2. Gastan mucho. Nunca tienen dinero. ....
3. Algo tienen que ocultar. Se ven en secreto. ....
4. Va a muchos médicos. Debe de estar enfermo. ....
5. Los chicos tienen sed. Voy a hacer una limonada. ....
6. Hace mucho tiempo que no lo veo. No lo voy a reconocer. ....
7. Habla muy deprisa. No lo entiendo. ....
8. No estudia gramática. Comete muchas faltas. ....
9. No trabajó bastante. Suspendió el curso. ....
10. Es muy simpático. Tiene muchos amigos. ....

Aciertos: .... **de 10**

Ejercicios
Las oraciones causales, finales y consecutivas

4. ¿Causa o consecuencia?
Completa la frase con *porque* o *así que.*

0. No hay bastante luz, ...*así que*........ no podemos hacer la foto.
1. Tenemos que ir a pie .... hay una huelga de transportes.
2. No tienen buenas notas .... no han trabajado bastante.
3. Este coche funciona mejor .... he cambiado el motor.
4. Le duele mucho la cabeza .... se va a tomar una aspirina.
5. Lee mucho el periódico .... conoce toda la actualidad.
6. No vino con nosotros de viaje .... no tiene dinero.
7. Es muy tarde .... me voy a casa.
8. Es bastante tímido .... se pone nervioso rápidamente.
9. Trabaja mucho .... no tiene tiempo de ir al teatro.
10. No veo nada .... estoy muy lejos.
11. Me duele un poco la pierna .... hoy no voy a ir al gimnasio.

Aciertos: .... **de**

5. Todo tiene una finalidad.
Une las frases como en el ejemplo.

0. Está ahorrando. Quiere comprar un coche nuevo.
   Está ahorrando para comprar un coche nuevo.

1. Llamé al hotel. Reservé una habitación.
   ....

2. Me llamó ayer. Me pidió perdón.
   ....

3. He comprado una guitarra. Quiero aprender a tocarla.
   ....

4. Ha pedido un crédito al banco. Va a comprarse una casa.
   ....

5. Voy al gimnasio. Quiero adelgazar.
   ....

6. Necesitas un diccionario. Vas a hacer esta traducción.
   ....

7. Llamó al dentista. Pidió una cita.
   ....

8. Fui a la biblioteca. Devolví unos libros.
   ....

9. Nos reunimos en mi casa. Preparamos la fiesta.
   ....

10. He vuelto a la oficina esta tarde. He terminado el informe.
    ....

Aciértos: .... **de**

6. Carta al presidente.

Completa el texto y marca V o F.

para (3)	como	porque (2)	así que

Al presidente de la Comunidad de vecinos de Cavanilles, 32

Estimado Sr. González:

.....*Como*..... todavía no hemos recibido contestación a nuestra anterior carta, nos ponemos de nuevo en contacto con usted .... expresarle una vez más nuestra oposición a la instalación de la antena de telefonía móvil en nuestro edificio. Estamos en contra, en primer lugar .... nuestro edificio no tiene la altura suficiente .... poder instalar este tipo de antenas y .... dicha instalación puede tener efectos no deseables .... la salud. .... si todavía estamos a tiempo, preferimos ver la antena lejos de nuestro tejado.

Atentamente,

Firmado: Comunidad de propietarios

---

0. V Es la segunda carta que escriben al presidente.
1. ☐ El edificio es muy alto para este tipo de instalación.
2. ☐ No quieren la antena porque puede perjudicar su salud.
3. ☐ Prefieren instalarla lejos.

Aciertos: .... **de 9**

TODO OÍDOS. Escucha el diálogo.

56

- ■ **¿Por qué** no te has comido todavía el pescado?
- ● **Porque** no me gusta.
- ■ Pero **para** poder crecer sano y fuerte tienes que comer de todo.
- ● Pero **es que** está malísimo.
- ■ Eso no es una excusa. Además **para** poder jugar después de comer con el ordenador tienes que dejar el plato vacío. **Así que** termínalo.

Total de aciertos: .... **de 54**

EVALÚATE

Muy bien	Bien	Regular	Mal

Anexo 1

COMPONENTES

✔ Contraste de los usos del pretérito perfecto y del pretérito indefinido.

PRETÉRITO PERFECTO

1. Para contar acontecimientos pasados dentro de una unidad de tiempo no terminada. Suele utilizarse con expresiones como *hoy, esta semana, este mes, este año...*
*Este año **he estudiado** alemán.*

2. Para contar acontecimientos pasados muy recientes: *hace un rato, hace cinco minutos, hace una hora...*
***Ha llegado** a casa hace unos minutos.*

3. Para hablar de experiencias y actividades pasadas sin especificar cuándo se realizaron.
- *¿**Has estado** en México alguna vez?*
- *Sí, **he estado** varias veces.*

4. Para explicar que ha ocurrido un acontecimiento esperado. Va acompañado de *ya.*
*Ya **ha empezado** a llover.*

PRETÉRITO INDEFINIDO

1. Para contar acontecimientos pasados. Suele utilizarse con expresiones como *ayer, la semana pasada, el año pasado...*
***Compré** este vestido ayer.*

2. Para contar acontecimientos pasados no tan recientes: *hace una semana, hace un año, hace mucho tiempo...*
***Llegó** a Madrid hace un mes.*

3. Para informar sobre acontecimientos que sucedieron en un momento exacto del pasado.
*Me **casé** el 20 de mayo de 1990.*

Si quieres trabajar más el contraste de tiempos del pasado, te recomendamos *Tiempo para practicar los pasados*.

1. Días, semanas, años...

Ordena las siguientes expresiones en la columna correspondiente.

0. El lunes pasado
1. Hace diez minutos
2. Esta semana
3. En 2001
4. Hace un momento
5. Anoche
6. El 14 de abril
7. El mes pasado
8. Esta noche
9. Estas navidades
10. Hace cinco años

Pretérito perfecto	Pretérito indefinido
Hace diez minutos *Esta semana* *Hace un momento* *Anoche* X *Esta noche* *Estas navidades*	*El lunes pasado* *En 2001* *El 14 de abril* *El mes pasado* *Hace cinco años*

Aciertos: .... **de 10**

2. La semana pasada, en la clase de español..., pero esta semana...

Completa con el pretérito perfecto o con el indefinido.

La semana pasada

0. *Estudiamos*. los usos del pretérito perfecto.
1. Hicimos un examen.
2. La profesora *llegó* puntual todos los días.
3. Vimos una película.
4. La profesora no *se enfó* con nosotros.
5. Trabajamos con textos periodísticos.

Esta semana

Hemos estudiado los del indefinido.
No *hemos leído* ninguno.
No ha llegado puntual siempre.
No *hemos visto* ninguna.
Se ha *enfadado* varios días.
Hemos trabajado con poesías.

Aciertos: .... **de 5**

3. Dos amigos han hecho las mismas cosas, pero en fechas diferentes.

Completa con el pretérito perfecto o con el indefinido.

0. • ¿ *Has ido* alguna vez a Barcelona (Ir - tú)?
   ○ Sí, *fui* el año pasado. ¿Y tú?
   • Yo *he ido* este verano.

1. • ¿ *Has leído* El Quijote (Leer - tú)?
   ○ Sí, lo *leí* hace dos años.
   • Pues, yo lo *he leído* este año.

2. • Ayer *vi* la última película de Penélope Cruz (ver - yo).
   • ¿Sí? Pues yo la *he visto* X el sábado.
   vi

3. • ¿has comprado ya la lotería de Navidad (Comprar - tú)?

   ○ Sí, la compré la semana pasada.

   • Yo la he comprado esta tarde.

4. • ¿has montado en globo alguna vez (Montar - tú)? *set/assemble/ride*

   ○ Sí, monté en globo hace unos años, en los Pirineos.

   • Yo también he montado en globo, pero en los Alpes. — *no time marker*

5. • ¿Habéis probado la paella (Probar - vosotros)? *try*

   ○ No, no la he probado nunca.

   • Pues está buenísima. Yo la probé ayer. Os la recomiendo.

Aciertos: .... **de 1**

4. Preguntas y respuestas.

Relaciona y completa con el pretérito perfecto o con el indefinido.

B 0. Voy a preparar café, ¿quieres uno? → a. Sí, he ido / fui a una discoteca (ir - nosotros). 9

K 1. ¿Has estado alguna vez en Sevilla? b. No, gracias. Hace un momento he tomado uno (tomar, yo).

F G 2. ¿Puedo llevarme el periódico? *carry* c. Sí, lo hemos hecho / hicimos el viernes (hacer - nosotros). 7

A J 3. ¿Salisteis anoche? *leave* d. Sí, lo alquilamos la semana pasada (alquilar - nosotros). *rent*

D 4. ¿Tenéis ya piso? e. Sí y ganasteis nuestro equipo (ganar). *our team gain/win*

G F 5. ¿Has comprado ya las entradas? f. Lo siento, es que todavía no lo he leído (leer - yo). 5

6. ¿Has reservado el hotel? g. Sí, las compré ayer (comprar - yo). 2

C 7. ¿Hicisteis el examen la semana pasada? h. Sí, estuve hace dos años (estar). 0

8. ¿Te llamó anoche tu novio? i. No, me he llamado esta mañana (llamar - él). 8

H A 9. ¿Has venido alguna vez a esta discoteca? j. Lo siento, no está. ha salido hace un momento (Salir - él). 3

J H 10. ¿Puedo hablar con el director? k. Sí, he venido ya varias veces (venir - yo).

E 11. ¿Fuisteis el domingo al fútbol? l. Sí, esta mañana he llamado a la agencia y reservado dos habitaciones (llamar, reservar - yo).

Aciertos: .... **de**

5. Un detective está investigando la desaparición de José García. En la papelera de su oficina ha encontrado estos documentos. Hoy es 29 de junio. ¿Qué ha descubierto el detective?

Completa el cuadro.

Hoy	Ayer	Este mes	El mes pasado
> Ha hecho la compra en un supermercado	> fue a la ópera > Sacó de su cuenta 3.000€	*Ha recibido una carta de París.* > Ha comprado un anillo de oro	> Estuvo en Buenos Aires > Visitó un museo

0. Recibir una carta

El mes pasado **1.** Estar en Buenos Aires. 14 de Mayo

Ayer **2.** Ir a la ópera. 28 de junio

Hoy **3.** Hacer la compra en un supermercado. 29 de junio

El mes pasado **4.** Visitar un museo. 1 de Mayo

Ayer **5.** Sacar de su cuenta 3.000 €. 28 de Junio

Este mes **6.** Comprar un anillo de oro. 22 de junio

SUPERMERCADO
Tiquet de compra
29 de junio

AEROLÍNEAS PEGASO
Madrid - Buenos Aires
14 de mayo

BANCO AFORTUNADO 5
Reintegro:
3.000 €
28 de Junio

29 de junio PARÍS

MUSEO ANTIGUO
1 de mayo

JOYERÍA 6
EL DIAMANTE
Factura por la compra de:
Anillo de oro
2.500 € — 22 de junio

TEATRO de la ÓPERA
28 de junio

Aciertos: .... de 6

TODO OÍDOS. Escucha el diálogo.

57

■ Anoche te **llamé** por teléfono tres veces. Esta mañana te **he llamado** otra vez y no **has contestado** al teléfono.

● Es que ayer **fue** un día horrible, **tuve** mucho trabajo y **volví** muy tarde. Hoy me **he tomado** el día libre y **he dormido** hasta las 11.

Total de aciertos: .... de 47

EVALÚATE

Muy bien   Bien   Regular   Mal

Anexo 2

COMPONENTES

✔ Contraste de los usos de los pretéritos perfecto e indefinido y del pretérito imperfecto.

PRETÉRITO PERFECTO Y PRETÉRITO INDEFINIDO

1. Se usan para hablar de los acontecimientos.
*El otro día **fui** a una fiesta y allí **conocí** a un chico. **Hablé** con él durante mucho rato y luego me **llevó** a casa. Esta mañana me **ha llamado** por teléfono.*

2. Se usan para informar sobre acciones que se repitieron un número exacto de veces.
*La semana pasada **fui** tres veces al médico.*
*Esta semana **he ido** dos días al cine.*

3. Se usan para hablar de una acción ya terminada en un momento concreto del pasado.
*Ayer **subí** las escaleras y me **encontré** un billete de 10 euros.* (El billete estaba al final de las escaleras).

PRETÉRITO IMPERFECTO

1. Se usa para describir las circunstancias, las situaciones, los lugares, las personas... que intervienen en los acontecimientos.
*El otro día fui a una fiesta. **Había** mucha gente. El sitio **era** muy elegante. Allí conocí a un chico. **Era** muy guapo y **tenía** unos 25 años. Hablé con él durante mucho rato y luego me llevó a casa. Esta mañana me ha llamado por teléfono.*

2. Se usa para hablar de acciones habituales o cíclicas del pasado. Suele ir acompañado de expresiones de frecuencia: *siempre, casi siempre, a veces, generalmente, nunca...*
*El año pasado **iba** a clase de 7 a 9. Pero a veces **salíamos** a las 9 y media.*

3. Se usa para hablar de una acción no terminada todavía en un momento concreto del pasado.
*Ayer **subía** las escaleras y me encontré un billete de 10 euros.* (El billete estaba a mitad de las escaleras).
En estos casos se suele utilizar la perífrasis imperfecto de *estar* + gerundio.
*Ayer **estaba subiendo** las escaleras y me encontré un billete de 10 euros.*

Si quieres trabajar más el contraste de tiempos del pasado, te recomendamos *Tiempo para practicar los pasados.*

1. Situaciones y circunstancias.

Busca las circunstancias en el siguiente cuadro y completa las frases.

0. Ayer por la tarde ...*me dolía mucho la cabeza*... y me tomé una aspirina.

1. No me compré el reloj porque ....

2. Ayer... y me quedé en la oficina hasta las ocho.

3. El sábado fui a una discoteca, pero no entré porque ....

4. Anoche .... y me acosté pronto.

5. El verano pasado me fui de vacaciones porque ....

6. No fui a la fiesta porque ....

7. El sábado nos quedamos en casa porque ....

8. Le despidieron del trabajo porque ....

9. Como ...., se fue en autobús a su pueblo.

10. Decidimos ir a la piscina porque ....

> **estaba cansada**
> **era muy caro**
> **tenía unos días libres**
> **tenía mucho trabajo**
> **no estaba invitada**
> **me dolía mucho la cabeza**
> **había demasiada gente**
> **tenía el coche averiado**
> **ponían una película muy buena en la tele**
> **hacía mucho calor**
> **era muy poco formal**

Aciertos: .... **de 10**

2. ¿Acciones o circunstancias?

Completa con imperfecto o con indefinido.

0. Ayer Felipe ...*llegó*... (llegar) tarde al trabajo porque ...*había*... (haber) mucho tráfico.

1. Los vecinos de arriba .... (hacer) mucho ruido por las noches y mi padre .... (decidir) cambiarse de piso.

2. El examen de ayer .... (tener) muchas preguntas, pero las .... (hacer - yo) todas bien.

3. Ayer .... (desayunar - nosotros) en una cafetería porque no .... (tener - nosotros) leche en casa.

4. Carolina .... (pasear) por el parque y de repente .... (empezar) a llover.

5. Ayer me .... (doler) mucho el estómago y no .... (comer) nada.

Aciertos: .... **de 5**

3. ¿Acciones repetidas o acciones habituales?

Completa con imperfecto o con indefinido.

0. De joven casi siempre ...*iba*... (ir - yo) a clase en metro.

1. El año pasado .... (comer - él) todos los lunes en la universidad.

2. El año pasado .... (ir - yo) a la universidad en metro.

3. La semana pasada .... (visitar - yo) dos veces el Museo del Prado.

4. En el colegio .... (hacer - nosotros) excursiones al campo todos los meses.

5. En su anterior trabajo, mi marido no .... (salir) nunca antes de las ocho.

6. En mi anterior trabajo, ... (viajar - yo) más de diez veces al extranjero.

7. Cuando estuve en España, ... (comer - nosotros) cuatro veces gazpacho.

8. En verano, siempre que íbamos a España, ... (tomar - nosotros) gazpacho.

9. Yo normalmente .... (ir) de vacaciones a Barcelona.

10. Por negocios, el año pasado .... (ir - yo) muchas veces a Barcelona.

Aciertos: .... d

4. Preguntas y respuestas en pasado.
Relaciona y completa con imperfecto, perfecto o indefinido.

0. ¿Por qué no me llamaste anoche?

1. ¿Fuisteis anoche a la fiesta de Andrea?

2. ¿Qué tal el examen de ayer?

3. ¿Quién ganó el partido de fútbol?

4. ¿Por qué no viniste ayer a clase?

5. ¿Os gustó la película?

a. Es que me .... (doler) mucho una muela y .... (ir) al dentista.

b. .... (Estar - yo) nerviosa y no lo .... (hace - yo) muy bien.

c. Porque mi móvil se ...*quedó*.. (quedar) sin batería y no .... (haber) ningún teléfono cerca.

d. No .... (poder - nosotros) verla. .... (Llegar, nosotros) tarde y ya no .... (haber) entradas.

e. No. Javier .... (llegar) muy tarde a casa. .... (Estar - él) muy cansado y .... (acostarse, él) pronto.

f. .... (Ganar) nosotros. Es que .... (tener - nosotros) un equipo muy bueno.

Aciertos: .... d

5. Atraco a una farmacia.
Marca la opción correcta.

Policía: ¿A qué hora <u>fue</u> / era el atraco?

Farmacéutica: Fueron / Eran aproximadamente las once cuando **llegaron / llegaban** los atracadores.

Policía: ¿Por qué les **abrió / abría** la puerta?

Farmacéutica: No **noté / notaba** nada raro. **Fueron / Eran** un chico y una chica con un aspecto normal.

Policía: ¿**Hubo / Había** clientes en la farmacia?

Farmacéutica: No, **estuve / estaba** yo sola.

Policía: ¿Se **llevaron / llevaban** solo el dinero o también se **llevaron / llevaban** medicinas?

Farmacéutica: No, solo el dinero. Afortunadamente **hubo / había** poco dinero en la caja.

Policía: ¿**Han robado / robaban** otra vez en esta farmacia?

Farmacéutica: Sí, el año pasado **atracaron / atracaban** la farmacia una noche. La farmacia **estuvo / estaba** cerrada, no **hubo / había** nadie. **Rompieron / Rompían** el cristal de la ventana y **entraron / entraban**.

Aciertos: .... d

6. La historia del mukusuluba.

Escribe los verbos entre paréntesis en indefinido o en imperfecto.

Una tarde, el día antes de mi examen, yo ....*estaba*...... (estar) estudiando en mi habitación y de pronto .... (tener) la sensación de que algo se estaba moviendo en la ventana. En ese momento .... (volver) la cabeza. ¡Y allí estaba! Lo .... (invitar) a entrar con la mano. Él .... (levantarse) despacio y .... (entrar) en mi habitación. Ese mismo día me di cuenta de que el mukusuluba no .... (saber) hablar. Yo .... (empezar) a preguntarle cosas, pero no .... (responder) nunca. Me dio pena porque .... (estar) solo en el mundo y le .... (hacer) un sitio en mi armario. El mukusuluba me miraba con los ojos muy abiertos, pero no decía nada. Al día siguiente .... (abrir) la puerta del armario y .... (sacar) al mukusuluba. Aparté unos cuadernos que .... (haber) sobre mi mesa y lo .... (poner) sobre ella. Acerqué un flan a la mesa y el mukusuluba lo .... (mirar) un momento y .... (empezar) a mover su cabeza de un lado a otro. Me .... (estar) diciendo que no le gustaba. Yo .... (sentir) una emoción muy grande porque en ese momento .... (descubrir) que el mukusuluba me entendía.

(Adaptado de Alfredo Gómez Cerdá, *Apareció en mi ventana*, Ediciones SM)

Aciertos: .... **de 19**

TODO OÍDOS. Escucha el diálogo.

58

Profesora:	Bueno, hoy vamos a practicar en clase los pasados. Y para empezar, vais a contar qué **habéis hecho** el fin de semana. Por ejemplo, tú, Bruno.
Bruno:	Pues yo el sábado **fui** con unos amigos de excursión a la sierra. Pero no **hacía** buen tiempo y nos **volvimos** pronto a Madrid. Y el domingo, **vino** a casa una compañera de clase para estudiar conmigo. Yo no **entendía** muy bien algunos usos de *por* y *para*, me los **explicó** y ahora creo que ya los entiendo.
Profesora:	Me parece estupendo. Vamos a verlo mañana en el examen.

Total de aciertos: .... **de 73**

EVALÚATE

Muy bien	Bien	Regular	Mal
●	●	●	●

Marca la respuesta correcta.

1. Todas .... aulas están en el primer piso. ☐ los ☐ las ☐ unos ☐ unas

2. Me duele mucho .... cabeza. ☐ el ☐ la ☐ una ☐ mi

3. Buenos días, ¿tienen .... ordenadores portátiles? ☐ los ☐ unos ☐ unas ☐ Ø

4. Me gusta mucho este hotel. Te lo .... ☐ recomiendas ☐ recomiendo ☐ recomienda ☐ recomendó

5. Pepe se .... siempre muy tarde. ☐ acueste ☐ acuesto ☐ acuesta ☐ acuestas

6. Este curso mis compañeros y yo .... con el mismo profesor. ☐ seguimos ☐ sigamos ☐ sigo ☐ sigáis

7. En el cine siempre me .... en las primeras filas. ☐ caigo ☐ pongo ☐ salgo ☐ traigo

8. Mi padre .... 48 años. ☐ es ☐ está ☐ tienes ☐ tiene

9. ¡Qué frío hace! Hoy .... a - 2°. ☐ somos ☐ estamos ☐ está ☐ es

10. Este libro .... mío. ☐ es ☐ está ☐ soy ☐ estoy

11. .... muy contento. He aprobado el examen. ☐ Soy ☐ Estoy ☐ Tienes ☐ Tengo

12. Mi madre es muy mayor. .... es más joven. ☐ La tuya ☐ La tu madre ☐ Tuya ☐ Madre

13. Nuestra casa es más pequeña que .... ☐ de vosotros ☐ la vuestra ☐ la vuestra casa ☐ vuestra

14. Este curso estoy estudiando .... tú. ☐ más como ☐ tan como ☐ tanto que ☐ más que

15. Álex tiene 20 años; Ana, 18 y Sofía, 16. Álex es .... de los tres. ☐ el mayor ☐ el más grande ☐ mayor ☐ muy mayor

16. Eduardo mide 1,92 m. Es .... de la clase. ☐ altísimo ☐ el más alto ☐ muy alto ☐ más alto

17. .... preguntas del examen son difíciles. ☐ Ninguna ☐ Todas ☐ Ningunas ☐ Algunas

18. ¿Ves algo desde ahí? / No, no veo .... ☐ nada ☐ nadie ☐ todo ☐ ningún

19. ● ¿Hay televisión en la habitación?
    ○ Sí, sí .... hay. ☐ lo ☐ la ☐ Ø ☐ le

20. ● ¿Me dejas este libro, por favor?
    ○ Sí, ... dejo mañana. ☐ lo ☐ te ☐ te lo ☐ te le

21. Los refrescos están .... la nevera. ☐ dentro ☐ dentro de ☐ entre ☐ debajo

22. Voy a pie a la oficina porque vivo muy .... ☐ cerca ☐ lejos ☐ delante ☐ debajo

23. Mi hija dice la verdad, la conozco .... ☐ perfecto ☐ perfecta ☐ perfectamente ☐ de perfecto

24. El alumno respondió .... y correctamente a todas las preguntas. ☐ rápida ☐ rápidamente ☐ buenamente ☐ bueno

25. El director habla .... con su secretaria. ☐ mucha ☐ mucho ☐ muy ☐ un poco de

26. Lleva trabajando en ese proyecto .... meses. ☐ demasiados ☐ demasiado ☐ un poco de ☐ bastante

27. ● Hace mucho calor, ¿verdad?
    ○ ¿.......... abrir la ventana? ☐ Tenemos que ☐ Hay que ☐ Podemos ☐ Debemos

28. Necesito un teléfono, por favor. .... llamar a mi mujer. Es una urgencia. ☐ Tengo que ☐ Vuelvo a ☐ Puedo ☐ Acabo de

29. .... ver a Jordi en el banco y me ha dicho que trabaja allí desde el mes pasado. ☐ Tengo que ☐ Puedo ☐ Acabo de ☐ Empiezo a

30. El director no puede salir, ...
    hablando por teléfono. □ tiene que □ sigue □ vuelve a □ empieza a

31. ¿Cuántos alumnos hay exactamente en el aula,
    quince .... dieciséis? □ y □ e □ o □ u

32. He estudiado .... hoy no voy a
    presentarme al examen. □ y □ pero □ o □ u

33. ¿Qué .... parece a usted esta ciudad? □ le □ la □ se □ Ø

34. ¿Qué .... usted ayer por la noche? □ hizo □ hice □ hiciste □ hace

35. La profesora no .... hoy nada en la pizarra. □ he escrito □ ha escrito □ has escrito □ han escrito

36. El mes pasado solo .... dos veces al cine. □ hemos ido □ vamos □ fuimos □ íbamos

37. Ayer .... una película muy buena en la tele. □ hemos visto □ veíamos □ vimos □ vemos

38. Mi abuela .... alta y delgada. □ ha sido □ era □ fue □ va a ser

39. .... hace diez minutos, pero ahora
    me apetece otro café. □ Desayuno □ Desayuné □ He desayunado □ Desayunaba

40. Esta mañana Olga .... por la calle Felipe II y se .... un billete de 50.
    □ iba / ha encontrado □ ido / encontraba
    □ iba / encontraba □ fue / encontraba

41. Ayer me .... la cabeza y me .... una aspirina.
    □ ha dolido / tomé □ dolió / tomaba
    □ dolía / tomaba □ dolía / tomé

42. Primero termino el trabajo y ....
    nos vamos a dar un paseo. □ luego □ tarde □ pronto □ siempre

43. ¡Atención, les habla la policía! ....
    con las manos en alto. □ Salid □ Salen □ Salga □ Salgan

44. No me apetece más paella. .... tú. □ Termínate □ Termínatela □ Te terminas □ Terminas

45. Es .... que van a venir.
    He hablado con ellos. □ seguro □ claro □ visto □ demostrado

46. Todos me .... si vas a ir a la fiesta. □ afirman □ preguntan □ explican □ creen

47. Voy a hacerme un bocadillo ....
    tengo hambre. □ para □ por □ así que □ porque

48. Trabajo en la empresa de mi padre ....
    terminé la carrera. □ desde hace □ después de □ desde □ desde que

49. No veo a mis abuelos .... dos años. □ desde hace □ desde □ hace □ antes de

50. Vino a la biblioteca .... buscar un libro
    de Geografía. □ por □ para □ porque □ así que

Total de aciertos: .... **de 50**

EVALÚATE

Muy bien   Bien   Regular   Mal

Primera edición: 2007
Primera reimpresión: 2008
Segunda reimpresión: 2010
Tercera reimpresión: 2010
Cuarta reimpresión: 2011
Quinta reimpresión: 2013
Impreso en España / *Printed in Spain*

© **Edelsa Grupo Didascalia, S. A.**, Madrid, 2007
Autores: Carlos Romero Dueñas, Alfredo González Hermoso y Aurora Cervera Vélez

Dirección y coordinación editorial: Departamento de Edición de Edelsa
Diseño de cubierta: Departamento de Imagen de Edelsa
Diseño de interior y maquetación: Dolors Albareda
Ilustraciones: Nacho de Marcos

Imprenta: Lavel
ISBN: 978-84-7711-499-4
Depósito legal: M-43173-2011

Nota:
- Las imágenes no consignadas más arriba pertenecen al Departamento de Imagen de Edelsa.
- Cualquier forma de reproducción de esta obra solo puede ser realizada con la autorización de la editorial, salvo excepción prevista por la ley. Diríjase a CEDRO (Centro Español de Derechos Reprográficos, www.cedro.org) si necesita fotocopiar o escanear algún fragmento de esta obra.